田口俊樹

日々翻訳ざんげ

エンタメ翻訳この四十年

本の雑誌社

日々翻訳ざんげ　エンタメ翻訳この四十年

「The Postman Always Rings Twice」より
'Rip me! Rip me!' 翻訳８種

は重大なのだ。何故なら、彼女が助けを求め
傷だらけになつて、その中に入つていなければ
あいた。
僕はそこで彼女のブラウスをもみくちやに
に会つたように見せる爲だ。彼女は僕をじつと
黒く見えた。僕には、彼女の呼吸が早くなるの
彼女は僕にぴつたり寄添つた。
「やぶいて頂戴。やぶいて、みんな！」
僕は彼女の服をやぶいた。彼女のブラウスに
「君は上つて行かなくちやいけない。服が破れ
だ。」
僕の声は妙に聞えた。まるで、安蓄音器の声
「そしてこいつはどうしたんだか君にも分らな
僕は、思い切つて、出来るだけ強く、彼女の
許に倒れている。眼を輝かし、胸をふるわせ、

うに碧い眼ではない。黒い目だ。彼女のはげしい息
づかいが感じられた。が、急にぴたりと、呼吸が止
まり、彼女が僕に軀をすり寄せた。
「もっと、めちゃめちゃにして！　めちゃめちゃに
して！」
僕は彼女の服を引き裂き、彼女のブラウスに手を
突っ込んで裂いた。だらりと服の衿元が破け、胸か
らお腹の方まで開らいた。
「やっと這い出るときに、破いたことにするんだ。
ドアのハンドルにひっかかったことにするんだ」
我ながら奇妙な声だった。まるで、安物の蓄音器

て来た。
「やぶいて！　やぶいて！」
ひっちゃぶいてやった。女のブラウスの胸
から腹まで、女のからだはむきだしになった
「夢中で車から這いだしたんだぜ。ドアのハ
おれの声は、安ものの蓄音機からでも出て
「それから、どうしてこんなになったか、お
一足さがって、身がまえして、女の目をカ
足もとにぶったおれたまま、女は目をぎらぎ
まにも跳びかかりそうにからだをひきしめて
そうして倒れてる女をみおろしてるおれは、
いて、舌も、口のなかでふくれあがって、

ガラスの破片でケガしなくちゃいけない
とめるというわけだ。ドアはちゃんとあいた。
おれはコーラのブラウスに細工しだした。
にだ。コーラはじっとおれを見ていた。その口
かっている。コーラの息づかいがはやくなって
とまった。コーラはおれにくっつくぐらい、
「ひっちゃぶいて！　ひっちゃぶいて！」
おれはひっちゃぶいてやった。ブラウスの胸
は、喉から腹まで、すっかり前がひらいてしま
「きみは車からはいだしたんだからね。そのと
んだ」
おれは、自分の声が昔の手まわしの蓄音器か

上段
（右）『郵便配達はいつもベルを二度鳴らす』飯島 正訳／荒地出版社、1953年
（左）『郵便やはいつも二度ベルを鳴らす』蕗沢忠枝訳／旅窓新書、1955年
下段
（右）『郵便配達は二度ベルを鳴らす』田中西二郎訳／新潮文庫、1963年
（左）『郵便配達はいつも二度ベルを鳴らす』田中小実昌訳／講談社文庫、1979年

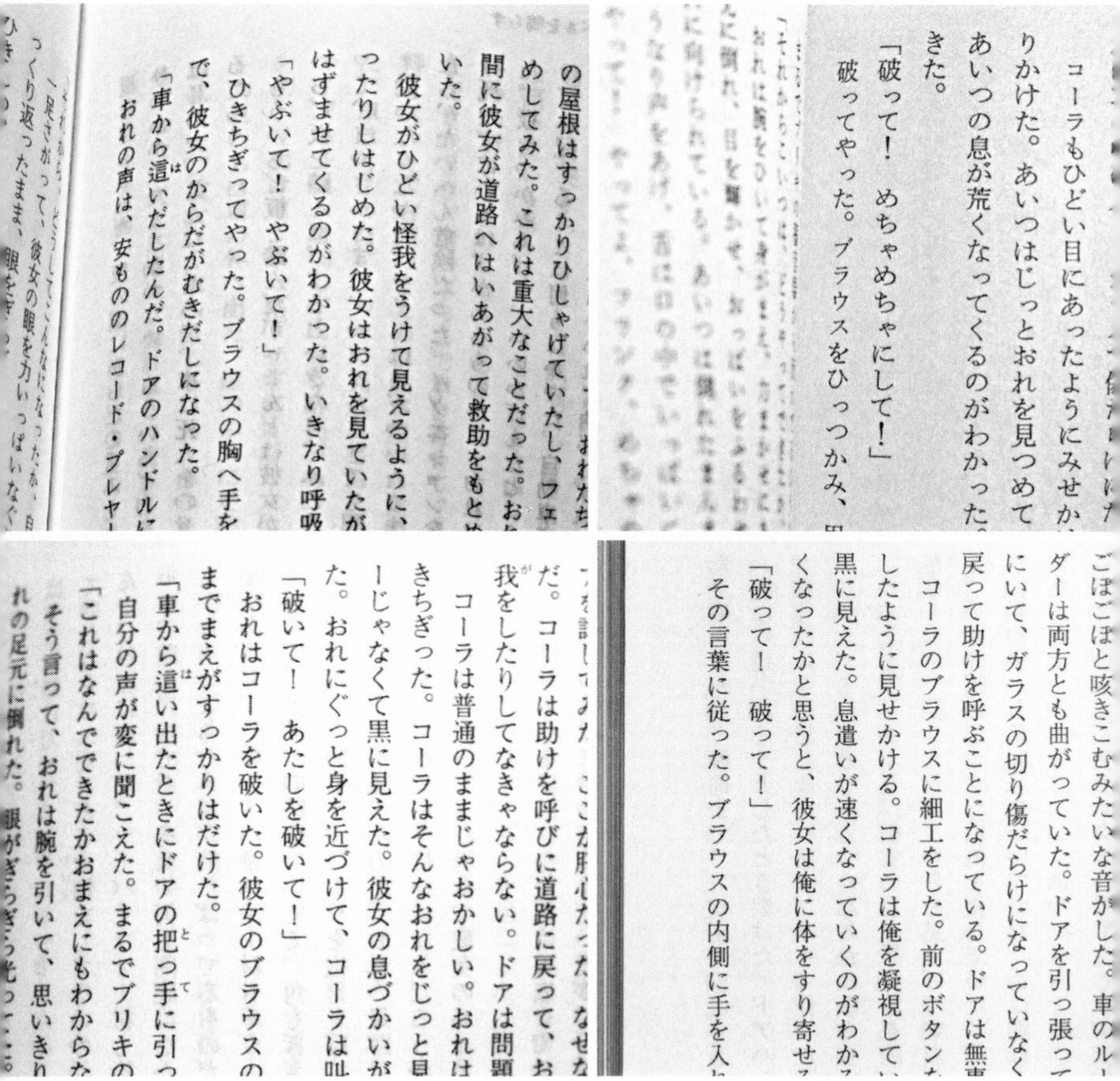

コーラもひどい目にあったようにみせか
りかけた。あいつはじっとおれを見つめて
あいつの息が荒くなってくるのがわかった。
きた。
「破って！　めちゃめちゃにして！」
破ってやった。ブラウスをひっつかみ、

の屋根はすっかりひしゃげていたし、フェ
めしてみた。これは重大なことだった。おれ
間に彼女が道路へはいあがって救助をもとめ
いた。
　彼女がひどい怪我をうけて見えるように、
ったりしはじめた。彼女はおれを見ていたが
はずませてくるのがわかった。いきなり呼吸
「やぶいて！　やぶいて！」
ひきちぎってやった。ブラウスの胸へ手を
で、彼女のからだがむきだしになった。
「車から這《は》いだしたんだ。ドアのハンドルに
おれの声は、安もののレコード・プレヤー

ごぼごぼと咳きこむみたいな音がした。車のル
ダーは両方とも曲がっていた。ドアを引っ張って
にいて、ガラスの切り傷だらけになっていなく
戻って助けを呼ぶことになっている。ドアは無事
　コーラのブラウスに細工をした。前のボタンを
したように見せかける。コーラは俺を凝視してい
黒に見えた。息遣いが速くなっていくのがわか
くなったかと思うと、彼女は俺に体をすり寄せ
「破って！　破って！」
　その言葉に従った。ブラウスの内側に手を入れ

だ。コーラは助けを呼びに道路に戻って、お
我《が》をしたりしてなきゃならない。ドアは問題
　コーラは普通のままじゃおかしい。おれは
きちぎった。コーラはそんなおれをじっと見
ーじゃなくて黒に見えた。彼女の息づかいが
た。おれにぐっと身を近づけて、コーラは叫
「破いて！　あたしを破いて！」
　おれはコーラを破いた。彼女のブラウスの
までまえがすっかりはだけた。
「車から這《は》い出たときにドアの把《と》っ手《て》に引っ
　自分の声が変に聞こえた。まるでブリキの
「これはなんでできたかおまえにもわからな
そう言って、おれは腕を引いて、思いきり
れの足元に倒れた。

上段
（右）『郵便配達夫はいつも二度ベルを鳴らす』小鷹信光訳／ハヤカワ・ミステリ文庫、1981年
（左）『郵便配達は二度ベルを鳴らす』中田耕治訳／集英社文庫、1981年
下段
（右）『郵便配達は二度ベルを鳴らす』池田真紀子訳／光文社文庫、2014年
（左）『郵便配達は二度ベルを鳴らす』田口俊樹訳／新潮文庫、2014年

r?
44-1.8
82-1.1
102-1
106-1
182-1

4 P.57. L.10:
Could you paraphrase "IT'S ME TIMES SEVEN."
It's everything I've been through and done "times seven"

5 P.81. L.8 from the bottom:
Could you paraphrase "YOU CAN HAVE IT BOTH WAYS".
not [redacted] CAN → CAN'T

6 P.121. L.18:
Could you give me more information about KLAAS MURDER?
Polly Klass – young girl in California who was kidnapped and murdered.

7 P.146. L.1:
What are JAIL-CELL COWBOYS?
Allegedly tough shits in jail.

8 P.150. L.6 from the bottom:
UXMAL is a travel agency? Could you show me its pronounciation?
└ is a town

9 P.151. L.16:
What is NIGHT-SKYING? [redacted] She
getting back into their lifestyle – drugs/crime/murder (murder)

10 P.155. L.15:
What is THE WEIGHT?
Famous song by "The Band"

11 P.157. L.19
What is the VELVET COLLARS?
A collar people wore like a dog collar

12 P.181. L.7:
What does "OUT OF PROBATE" means? And "IN PROBATE"?
A term about selling homes – buying ~~prob~~ property through the courts

13 P.188. L.20:
What is THE BLACK RIDER in this case?
Case's reference to "death" – The rider is death.

14 P.227. L.13:
What are FRENCHMEN'S FLAT and OPERATION BUSTER JUNGLE?
~~both~~ a place where atomic bomb was tested out...

15 P.234. L.20:

『神は銃弾』について、質問に対するボストン・テランの回答

----- Original Message -----
From: Taguchi Toshiki
To: Michael Z. Lewin
Sent: Tuesday, March 11, 2014 11:29 AM
Subject: questions

Hi Mike,

My questions are as below. I am sorry to bother you. But I will be much obliged if help me.

1 P29-L3~4...one play in the side...Do you know what kind of pool game this is? Does a player announce the number of the ball before he drops the ball in the side? One ball in the side has to be the name of a particular pool game here. I'm not familiar with it, but it can't really be anything else.

2 P40-L13...Give a one f'me?...What does "a one" mean here? Give a one f'me here will be the sound of shouting "Give her one for me" and is a sexual shout.

3 P40-L12~12 from the bottom...Everything had to check up. We had to have plenty yo tell....Would you paraphrase?
The gist here is that everything about their story and car had to check out - eg tha the engine was overheated etc. They had to have plenty of details to report when they were questioned later about what had happened.

4 P48-L7...I had sense to roll around and kick.---What does kick mean here? Suppress the vomit? An what is he talking about? He is acting out reason for his clothes to be

『郵便配達は二度ベルを鳴らす』についてのマイクル・Z・リューインの回答

目次

一章◉ミステリー翻訳者

書名資料　杉江松恋
ブックデザイン　金子哲郎

一章

ミステリー翻訳者

The Sixth Precinct is housed on West Tenth Street be
Bleecker and Hudson, in the Village. Years before, when I did
of duty there, it was in an ornate structure farther west on C
Street. That building has since been converted into co-op ap
ments, and named the Gendarme.
The new station house is an ugly modern building that no one
ever carve into apartments. I was there a little before noon
Tuesday and I walked past the front desk and straight to E
Koehler's office. I didn't have to ask, I knew where it was.
He looked up from a report he'd been reading, blinked at
"Thing about that door," he said, "anybody could walk through
"You're looking good, Eddie."
"Well, you know. Clean living. Sit down, Matt."
I sat, and we talked a little. We went back a long ways, Eddie and
I. When the small talk faded, he said, "You just happened to be in
the neighborhood, right?"
"I just thought of you and figured you needed a new hat."
"In this weather?"

LAWRENCE BLO
"Maybe a panama.
"Maybe a pith helmet.
home of the girth would
I had my notebook out. "A lic
maybe you could check it for me."
"You mean call Motor Vehicles?"
"First check the hot-car sheet."
"What's it, a hit-and-run? Your client wants to know who hit him,
maybe take quiet cash instead of press charges?"
"You've got a great imagination."
"You got a license number and I should check the hot cars before
anything else? Shit. What's the number?"
I read it out to him. He jotted it down and pushed away from his
desk. "Be a minute," he said.
While he was gone I looked at my ear drawings. Ears really do look
different. The thing is you have to train yourself to notice them.
He wasn't gone long. He came back and dropped into his swivel
chair. "Not on the sheet," he said.
"Could you check the registration with Motor Vehicles?"
"I could, but I don't have to. They don't always get on the sheet
so quick. So I called in, and it's hot, all right, it'll be listed on the
next sheet. It was phoned in last night, stolen late afternoon or e
evening."
"It figured," I said.
"'Seventy-three Mercury, right? Sedan, dark blue?"
"That's right."
"That what you wanted?"
"Where was it stolen from?"
"Somewhere in Brooklyn. Ocean Park
must be pretty far out."
"Makes sense."
"It does?" he said. "Why?"
I shook my head. "It's
might be important, but
took out my wallet,
price of a hat in

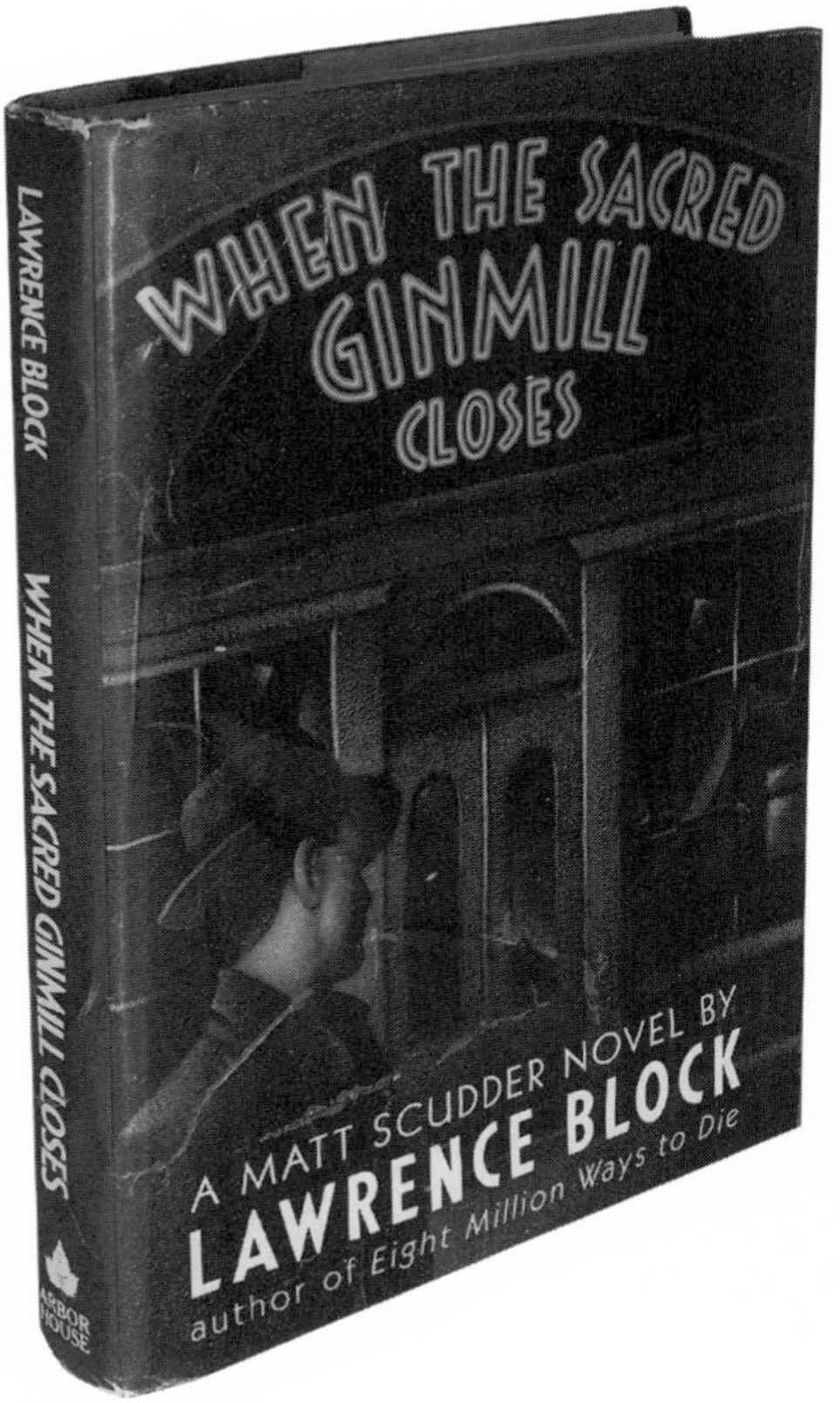

WHEN THE SACRED GINMILL CLOSES
Lawrence Block, AORBOR HOUSE, 1986

『聖なる酒場の挽歌』
ローレンス・ブロック、二見書房／1986年

第一回 ジョン・ウィンダム「賢い子供」の巻

だるまに助けられる!

一九七八年

「きみは自分の訳書を読んだりしない? おれなんか読み返しちゃ、うっとりしてる」翻訳の大先輩、故小鷹信光さんに生前、そんなことを言われたことがある。それぐらい自分の訳書には愛情を持て、ということだったのだろう。自信がなければ愛情は持てない、自信が持てないような訳などするな。そんな声まで聞こえてきそうだ。

一部を拾い読みすることはあっても、文庫化といったような必要に迫られないかぎり、私は自分の訳書を通読することはない。で、ふと思い立って、親しい翻訳者十人に訊いてみた。貴殿は自訳著を読まれるや否や。

答は全員ノーだった。読み返すのが怖いという人も何人かいたが、その気持ちも、ま、わからないではない。

翻訳者が普通あまりやらないことをやってみようと思い立ったのは、これはどう考えても歳のせいだろう。人間いくつになってもさきが見えるなどということはないだろうが、それでも見えてくるような気がすることはないでもない。でもって、大したものはもう見えそうにないとなると、まえではなくうしろを振り返りたくなる。回顧録というのはおよそそんなふうに書かれるのではないかと思うが、このコラムもだいたいそんなものだ。それと、改めて振り返ることで翻訳に関して、なにやらまだ発見もあるのではないか、といったちょっと欲張りな狙いもある。

ということで、まずは初めて「ミステリマガジン」一九七八年四月号に載ったワタシ的には記念すべき処女訳、イギリスのＳＦ作家、ジョン・ウィンダムの短篇「賢い子供」から。


形質は遺伝しなくても能力は遺伝するのではないか。そんなことを思いついて、かかる研究に没頭している学者の話で、言われてみると、鳥の場合は巣づくりなど、明らかに後天的に獲得された能力が遺伝しているのに、どうして人間ではそうはならないのか、ちょっと不思議な気がしないでもない。で、この先生、ある人体実験を試みる。その結果……最後の一行で思いがけない事実が明らかになり、思わずにやりとさせられる、絵に描いたような見事な短篇だ。

私はこの前年の一九七七年に都立高校の英語教員になっている。三年ばかり、小さな出版社と児童劇団勤務を経てのことで、英語の教師になってまず痛感したのは英語に関わる自分の実力のなさだった。大学の受験問題など生徒に持ってこられ、質問をされても即答ができない。今は時間がないからなどとその場かぎりの言いわけをして問題を預かり、そのあと辞書と首っ引きになって必死に調べたり、先輩の先生に教えを乞うたりして、翌日、十年もまえから知っていたような顔をして生徒に解説していた。それが情けなかった。

そういう情けなさから自分を救うには、これはもう自分が勉強するしかない。そうは思ったものの、生来の勉強嫌いである。どうしたものかと考えあぐねていたときのこと、当時早川書房の編集者をしていた高校の元同級生の染田屋茂とたまたま会う機会があり、ふと思い立って、翻訳でもやらせてくれないかと頼んでみた。英語をただ勉強するのではなく、翻訳という目的を持てば要するに、実入りもあるとなると——勉強嫌いもさすがに勉強するのではないか。思えばなんともご都合主義なことだった。

染田屋はさっそく短篇を二篇送ってきてくれた。いわゆるトライアルだ。当時、早川書房は新人翻訳者には「ミステリマガジン」で短篇を何本か訳させ、これはという人材に長篇を任せるというシステムだった。いずれにしろ、私はその二本の短篇をどきどきして読んだ。正直に言うが、どういう話かわからなかったらどうしよう、それがものすごく不安だったのだ。細かいところは別にして（よくわからないところは多々あった）二作とも少なくとも話のオチだけはわかって、ほっとしたのを覚えている。

で、染田屋から指示されたほうの短篇をまず訳した。内容はもうまったく覚えていないが、分量は原稿用紙四、五十枚の短篇だったと思う。今にしてみれば大した分量ではないが、当時の自分にとっては大変な量で、どうにか最後まで訳しおえたときには、なんだかもうエヴェレストに登頂したような気分になった。そして、なにより思ったのが、翻訳ってこんなに愉しいことだったんだ！　ということだった。

何度も何度も読み返して完成させた拙稿を郵便で送り、合否判定を待った。しばらくして電話で呼び出され、早川書房まで出向き（当時はまだ木造の社屋で、二階の編集部の木の床の節穴から一階が見えた！）近所の喫茶店で、染田屋から翻訳指導を受けた。判定結果は合格だった。いつとは言えないが、いずれ本誌に掲載すると言われた。いや、もうエヴェレストどころではない。天にも昇る思いだった。

ところが、そのあと染田屋からまた電話がかかってきて、版権などの関係からもう一篇のほうをさきに掲載することになったので、そっちのほうも訳してくれ、と言われた。そう言われて、はたと困った。実はそのもう一篇のほうは、先輩の英語の先生で、やはり翻訳に興味があると言っていた人に渡してしまっていたのである。どうしてそんなことをしてしまったのか、今となってはまるで覚えていないが、いずれにしろ、私はその先生に事情を説明して、トライアルになるけれど、先生もやってみてください、とかなんとか伝えたのだった。内心、ちっ！　と舌打ちしながら。

ところがところが、それからしばらく経って学校で顔を合わせると、その先生からその短篇のコピーを返された。見ると、渋い顔をなさっている。でもって、自分には翻訳は無理だ、とおっしゃる。読んでもなんだかよくわからなかった、と。正直、びっくりした。というのも、その先生は米留学の経験もあり、それまで私はその先生から英語のことをあれこれ教えてもらっていたからである。英語力＝翻訳力ではないことぐらいは当時からわかっていたとは思うが、それにしても思いがけない展開だった。

その短篇の最後のページの裏を見ると、いたずら書きがしてあった。だるまの絵がいくつも描かれていたのだ。その先生は絵心があって、正直なところ、なかなかうまい絵ではあった。しかし、サインペンで黒々と描かれており、表にまでにじんでしまっている。何、これ？　いくらなんでも失礼なんじゃないか？　内心むっとしながら、ご本人に問い質した。すると、その先生曰く「手も足も出なかった」。ちょっと可笑しかったんで、赦してあげた。

いずれにしろ、ここが私のひとつの運命の分かれ道だったような気がしないでもない。私がとりあえず合格判定をもらった短篇は、結局、掲載されないままになったからである。そう、その先生が私に返してきたのがワタシ的には記念すべきこのジョン・ウィンダムの「賢い子供」だったのだ。

実はこの短篇、詳しい経緯は省くが、「ミステリマガジン」の編集者、小塚麻衣子さんと書評家の杉江松恋さんのおかげで、実にほぼ四十年ぶりに訳し直す機会に恵まれ、二〇一六年末発売の「ミステリマガジン」二〇一七年一月号にその新訳が掲載された。久しぶりに昔の拙訳を読んでまず思ったのは、読みの甘さである。四十枚ちょっとの短篇ながら、きちんと読めていないところや、明らかな誤読が少なくなかった。まあ、当然のことかもしれないが。その一方で、怖いもの知らずの勢いというのだろうか、今の自分にはまず思いつけないような、臆面もなく言っちまうと〝うまい訳〟もないではなかった。悔しいから新訳には取り入れなかったが。同じものを十人が訳せば、十通りの訳ができあがるように、同じ人間が同じものを十回訳しても十通りの訳になるのではないか。翻訳というのはつくづく一過性であり、〝生木のようにくすぶり続ける〟ことを宿命づけられているものだと思う。

翻訳稼業ほぼ四十年。今、ウィキペディアで数えたら、訳書数、百九十三冊。まあ、訳者としては多い部類だろう。その中から今でも深く記憶に残る作品を選んで、誤訳ざんげと回顧と翻訳談義ができればと思う。よろしくおつきあいのほどを。

第二回 ローレンス・ブロック『泥棒は選べない』の巻

泥棒バーニイ×ジョン・レノン×ニューヨーク！

早川書房／一九八〇年

わがささやかな翻訳稼業を語るのにローレンス・ブロックはやはり欠かせない作家だ。かれこれ四十年近いつきあいになる。これほど長くひとりの作家をひとりの訳者が訳すというのは、今はきわめて稀な例で、僥倖と言うほかはない。

本書はその泥棒シリーズ全十一作の記念すべき第一作であり、私にしてもブロック作品の長篇初翻訳になる。このシリーズは偉大なるマンネリズムとでも言おうか、どの作品も結構は変わらない。主人公の泥棒バーニイが盗みにはいったところまではいいが、そこで面倒に巻き込まれ（よく殺人の濡れ衣を着せられる）身にかかる火の粉を払うべく、自ら事件を解決するのである。

そのスタイルは本書からすでに始まっており、ある青い箱をあるアパートメントから盗み出すように五千ドルの報酬で依頼され、バーニイがそのアパートメントに行くと、家探し中に警官がやってきて、危うく捕まりそうになる。その場からはなんとか逃れたものの、そのアパートメントの住人が殺されていることが発覚し、当然、バーニイに容疑がかかる。そうした逆境の中、謎の女の協力を得て、バーニイが真犯人を突き止めるというものだ。

読み返すと、この本、一ページ目から本コラムのネタ満載だった。

久しく忘れていた恥ずかしい記憶がまず甦った。作品は、バーニイが〈ブルーミングデールズ〉の買物袋（Bloomingdale's shopping bag）を抱えてニューヨークの通りを歩いているところから始まる。念の為に言っておくと、〈ブルーミングデールズ〉というのはアメリカを代表する高級デパートである。しかし、ネットのないこの当時、私はニューヨークに行ったこともなく、〈ブルーミングデールズ〉がなんなのかもまったく知らなかった。で、ニューヨーク在住六年という知人に尋ねたところ、答は、「あ、大手のスーパーマーケットですね」おお、そうか、と迷うことなくそのとおりに訳注を入れた。意気揚々と。あとからわかったことだが、この知人、言ってみれば、三越と西友のちがいもよくわからない人だったのだ。

これを作家の小林信彦氏に徹底的に揶揄された。そのとき氏が週刊誌に連載中だった小説のネタにされたのだ。その小説の登場人物がこんなやりとりをするのである──「〈ブルーミングデールズ〉も最近は左前になったらしいね。スーパーに身売りしたそうだ」「え、嘘だろ?」「いや、ポケミスの『泥棒は選べない』の訳注にそう書いてあった」──正確なところは忘れたが、だいたいそういう内容だった。今思い出しても恥ずかしい。

〝Turned out to be a pretty fair day after all.〟これはバーニイが通りでたまたま出会った男に言う台詞。ポケミスの初版では、「結局、今日一日いい天気でしたね」という訳だが、それが二年後に出た文庫版では「どうにか今日一日いい天気でしたね」になっている。after allというのは案外訳しにくい熟語だが、文庫化されるまえに、英語のできるある読者に指摘され──「結局、いい天気だった」なんて日本語じゃ言わないよ、と言われ──直したのを覚えている。今読み返してみると、どっちでもよさそうな気がする。この頃はまだ駆け出しで自信がなかったのだろう。

he was walking east on Sixty-seventh Streetを「彼は六十七丁目を東に向かって歩いていた」と訳しているが、ここは今ならまちがいなく「六十七丁目通り」とするところだ。Avenueは「番街」Streetは「丁目」と訳す。これは翻訳を始めてすぐに編集者から教わったことだ。しかし、AvenueもStreetも道路である。「番街」はまだしも、道路を「丁目」とするのには無理がある。「丁目」はやはり「地域」だろう。なのにどうしてそういう訳が定着したのか。

たとえばニューヨークなどは市街が碁盤の目のようになっていて、南北に走る通りがほぼAvenue、東西に走るのがほぼStreetなので、場所を示すとき、通りを座標軸のようにして、～Avenue and～Streetと表記されることが多い。そのせいではないだろうか。つまりFifth Avenue and Forty-second Streetという場所を訳すのに「フィフス・アヴェニューとフォーティセカンド・ストリートが交差しているところ」ではなく、「五番街四十二丁目」と簡潔に訳すことができるからだ。だから、Street＝丁目というのは正確さには欠けても、私は先人の知恵だと思っている。

ただ、やはりStreetは道路なので、「五番街四十二丁目」のような〝点〟ではなく、〝線〟

であることを訳さなければならないときには、さきに書いたとおり「丁目」に「通り」をつけるようにしている。現在の翻訳現場では「~丁目通り」ではなく、「~番通り」が主流のように思うが、「~丁目通り」は私なりに先人への敬意を込めたつもりの訳だ。ついでながら、~ Avenue and ~ Street をそのまま訳している訳をたまに見かける。たとえばタクシーに乗って行き先を告げるのに「五番街と四十二丁目」と言うのだが、これはまぎらわしくないだろうか。行き先を二個所指示しているように聞こえる。

この『泥棒は選べない』が出た一九八〇年の暮れにジョン・レノンが亡くなっている。説明は要らないと思うが、バーニイのいるニューヨークでまさに凶弾に倒れた。私はいわゆるビートルズ世代で、マニアと言えるほどのビートルズ・ファンでもあるが、人間が冷たくできているせいで、この訃報に接しても悲しいとは思わなかった。それよりやり場のない怒りを覚えた。そう、レノンを射殺したチャップマンに対してではなく、文字どおりやり場のない怒りだ。あれはなんだったのだろう?

当時は高校の教員をしていたのだが、教員としてはよくて中の下、悪くすれば(つまり客観的に見れば)下の上ぐらいの部類だった。そんなわけで、そもそもやる気がないところへこの訃報にさらにやる気をなくし、この事件の翌日の授業にはまったくもって気持ちが向かわなかった。で、教科書はまったく開かず、ジョン・レノンの「労働者階級の英雄（Working Class Hero）」という曲を一曲カセットで聞かせただけで授業を終えた。「おまえらは自分たちのことを賢くて無階級で自由だと思っているのかもしれないが、おれに言わせりゃ、クソ田舎者だよ」そんな内容で、口先だけで社会改革を唱えているだけの当時のお坊ちゃんお嬢ちゃんをレノンが面罵している歌だ。

私はさきに書いた怒りをこの歌を通して生徒たちに内心ぶつけていた。とにもかくにも腹が立ち、誰でもいいから眼のまえにいる者に言いがかりをつけるようなものだった。生徒にしてみれば、いい迷惑である。だから怒りが治まると、さすがに反省した。生徒たちに申しわけなく思った。

ところが、である。

同窓会やクラス会などで今でもその当時の生徒たちと酒を飲んだりすると、生徒の多くがその授業のことを覚えていて、その授業で私のことを見直したというのである。生徒は先生を実によく観察しているものだ。私のやる気のなさはばればれだったのだろう。それがその授業で私に対する見方が変わったというのだ。先生の魂を初めて見たよ、など言った男子生徒（今や五十すぎのおっさんだが）もいる。

やる気のない教師が取り繕うことなく正直にやる気のないところを見せたら、それが逆にうけた。そういうことなのだろうか。何がうけたのか今でもよくわからない。やり場のない怒りとともに、私の人生のこの時期のふたつの謎だ。

第三回　ウェイド・ミラー『罪ある傍観者』の巻

「が」と差別語が多すぎる！

河出書房新社／一九八五年

サンディエゴを舞台に酔いどれ探偵マックス・サーズデイが、盗まれた真珠をめぐって、地元のボスを相手に活躍する私立探偵小説。原著の出版は一九四七年、私立探偵小説の第一次隆盛時代に書かれたものだが、探偵がただ事件を追うだけでなく、探偵自身の幼い息子が誘拐されるという事件も起こり、そこがいわば新機軸の作品である。

今読み返すと、さすがに古さは否めない。探偵が一度は窮地に陥るというのは、この手の小説のお約束事のようなものだが、自分から危険に近づくホラー映画の登場人物さながら、この作品ではそういう場面がやたらと多い。もう少し分別を持って行動したらどうか、とツッコミを入れたくもなる。それでも、すっかり話を忘れていたので、読みおえて損をした気にはならなかった。とりあえず愉しめる作品である。

実は、本書は小鷹信光編『アメリカン・ハードボイルドシリーズ全十巻』の中の第三巻で、私としては早川書房以外から依頼された初めての仕事だった。小鷹さんが私を訳者のひとりに選んでくれたのだ。敬愛する同業の先達に認められたわけで、さすがに嬉しかった。また、早川書房以外からの依頼というのも嬉しかった。早川書房に文句があったわけではもちろんないが、翻訳を始めて八年、何かこれで一人前の翻訳者になったような——実際にはそんなことはないのだが——気分になったのを覚えている。

翻訳に関わることではないが、この本については、セットになっているような思い出がある。第二巻にチャンドラーの「ベイ・シティ・ブルース」が収められているのだが、その作品は作家で翻訳家の小泉喜美子さんが訳された。ちょうど拙訳が出た年の夏だったと記憶する。参加した翻訳者全員が集まる打ち上げがあった。小鷹さん、小泉さんをはじめ、石田善彦さん、宮脇孝雄さん、池上冬樹さんといった錚々たる面々が新宿のゴールデン街の居酒屋に集まった。その店はかなり急な階段をあがった二階にあり、散会後、その階段を降りるときに、私はたまたま小泉さんのこんなことばを耳にした。「わたしのいきつけの店もこんな急な階段で怖いのよ。いつか酔っぱらって落っこちやしないかと思って」

そのことばが不吉な予言だったかのように、その年の秋、小泉さんは亡くなった。それも酔って階段を踏みはずし、脳挫傷で不帰の人になるのである。新聞の死亡告知欄を見てびっくり仰天したのを覚えている。あのときのことばは虫の知らせというやつだったのだろうか。享年五十一。作家としてだけでなく、翻訳者としてもまだまだ今後の活躍が期待された人だった。

翻訳に関することでは、まず思ったのがいわゆる差別語がけっこう頻繁に出てくることだ。今なら書くこと自体ためらわれるような、身体的な差別表現をわりと平気で使っている。三十年以上もまえの自分の言語感覚ながら、正直、野蛮に思える。以前は平気で使っていたことばに、今は本人が抵抗を覚える、そこのところが差別語の厄介なところだ。表現者の端くれとして、ことば狩りや版元の過剰な自主規制には大いに異を唱えたいけれども。おそらく正解はなくて、その都度その都度、そのときの自分の言語感覚を信じるしかない。そういう問題なんだと思う。

もうひとつけっこう多いなと感じたのが、主語につく「が」だ。昨今、私は翻訳文についても、日本の作家が書く文についてもちょっと「が」が多すぎるのではないか、ここは「が」ではなくて「は」でいいのではと思うことが多い。ところが、三十年前は私も同じことをやっていたわけだ。

「は」と「が」の問題というのは日本語表現の永遠のテーマのように思うが、その使い分けについて私は次のふたつの定義を一番のよりどころにしている。ひとつは国語学者、大野晋先生の有名な定義、未知の主語には「が」がつき、既知の主語には「は」がつくというやつ。「昔々、あるところにお爺さんとお婆さんが住んでいました。お爺さんは山へ芝刈りに、お婆さんは川へ洗濯に行きました」という説明を初めて知ったときには軽く感動した。最初のお爺さんとお婆さんはまだ未知の存在だから「が」で、二番目のお爺さんとお婆さんはすでにわかっている既知の主語だから「は」になるというわけだ。なんとも明快である。

もうひとつは（正確な引用でなくて申しわけないのだが）作家の井上ひさし氏の「は」はやさしく提示し、「が」は鋭く提示するというものだ。大作家の感性が光るこれも明快な定義である。
「は」と「が」の使い分けに迷ったときには、このふたつの定義を思い出せばだいたい解決できるはずである。ついでにもうひとつ言っておくと、「は」と「が」の使い分けに迷うのは、たいてい言いたいことがはっきりしていないときである。「は」と「が」はどちらを選ぼうと、だいたいのところ意味は大きく変わらない。しかし、ニュアンスが変わる。たとえば、今のこの文。「ニュアンスは変わる」と書いても意味はさほど変わらない。ただ、私としては「ニュアンス」ということばを強調したい。いろいろなことの中でなにより「ニュアンスが」変わるんだと。だから鋭く提示したい。で、迷わず「が」になるわけだ。逆にそこまで強く言いたくなかったら、やさしく提示して「は」とするはずである。迷わなかったのは言いたいことがはっきりしていたからだ。

ミステリーを翻訳するなら当然知っていていいことも、この頃は知らないことが多かった。この時点ですでに八年経験しているのに恥ずかしいかぎり。たとえば、ショットガンの弾丸《たま》は「口径」とは言わない。「番径」という。なのに「口径」のオンパレード。出てくるたび念力で変えたくなった。もうひとつdowntownも知らなかった。今、手元の辞書、ウェブ上の辞書をざっと見てみたら、ジーニアスにだけ載っていた――「市当局、警察の含み」。そう、ミステリーで刑事が容疑者に「ダウンタウンに行こうぜ」というのは、「繁華街に遊びに行こうぜ」ではなく、十中八九「署まで行こう」の意だ。このことばについては、当時小鷹さんに「田口さん、これぐらい知らなきゃ駄目だよ」と苦い顔で言われ、顔が赤くなったのを覚えている。

自分でもちょっと笑ってしまったのが、「カリフォーニア」という表記だ。現地原音主義というのが現在のカタカナ表記の主流で、それに照らせば、「カリフォルニア」より正確な表記である。しかし、やはりどうしても笑ってしまう。今見ると、若気の至りとしか思えない。カタカナ表記については、あるシンポジウムの席での加島祥三さんの発言が今でも強く印象に残っている――「カタカナは日本語である」あたりまえと言えばあたりまえのことばだが、このシンポジウムがあった四十年近くまえは、いわば現地原音主義勃興時代で、できるかぎりカタカナ表記も原音に合わせようというのが、新しくてカッコよかった時代だ。加島さんの発言にはそれに待ったをかけるようなところがあった。日本語としての「見た目」や「発音のしやすさ」も考えるべきだ。私はこのことばをそう理解している。

今の私は、表記は所詮枝葉末節だと思っている。だから常識に照らして各自自由にやればいいのではないか。そういう考えだ。ただ、やたらと原音にこだわるのは西欧崇拝主義の名残りのような気がしないでもない。ギョエテとはおれのことかとゲーテいい、という古い川柳があるが、因みにゲーテのこれまでの表記は「ゴエテ」「ギュッテ」「ゲエテー」など二十九種類もあるそうだ。一方、日本語のアルファベット表記に悩んだという話はあまり聞かない。漢字（中国の人名や地名）のアルファベット表記も実にいい加減である。これは表記ではないが、ボストン・テランの拙訳『音もなく少女は』のあちらのアマゾンのタイトル表記がなんと、Without a sound girl。ここまで来ると、なめんじゃねえよ、と言いたくなる。

今、年表を見たら、本書が出た一九八五年には大相撲の白鵬が生まれ、映画俳優のユル・ブリンナーが亡くなっている。が、今でも多くの人の記憶に残るのはやはりＪＡＬの墜落事故だろう。ヴォイスレコーダーに残っていた乗務員の声――最後の最後まで奮闘を続ける機長と副操縦士のやりとり――に胸を熱くしたのは私ひとりではあるまい。

第四回　ローレンス・ブロック『聖なる酒場の挽歌』の巻

二見書房／一九八六年

数字の話あれこれ

ブロックさんには第二回にも『泥棒は選べない』で登場してもらったが、やはりもうひとつのシリーズ、マット・スカダー・シリーズを語らずにすますわけにはいかない。このシリーズでは『八百万の死にざま』が最も世評が高いが、ワタシ的にはこの『聖なる――』のほうにさまざまな思い入れがある。

それには、教員を辞めて翻訳一本で食っていこうと決意した年の翻訳ということも大きい。もうひとつ、これまでにたった一度、翻訳するのに缶詰めになるという経験をしたのがこの作品だった。当時、私はまだ教員で、翻訳仕事は夏休みが書き入れどきだった。

一方、子供がまだ小さく、できればどこかで翻訳に没頭したいなあ、なんてダメ元で編集者につぶやいたら、なんと神田のホテルの部屋を二週間ばかり借りてくれたのだ。めちゃくちゃ高いものでなければ食費もOKということで、いやあ、なんか流行作家の気分になったものだ。『聖なる――』は二見文庫創刊のラインアップに選ばれた作品で、版元としてもどうしても落とすわけにはいかなかったのだろう。古き良きバブルの思い出である。

そんな本書だが、過去を振り返るという体裁で、前作『八百万の死にざま』で酒を断ち、元刑事、元アル中になった現在から、元刑事、現役アル中だった頃を顧みる静かな視線にまさに掬《きく》すべき滋味がある。

起こる事件は三つ。ひとつはアイルランド系の兄弟が経営するもぐり酒場で起きるホールドアップ強盗。もうひとつは飲み仲間のひとりの家に強盗がはいり、妻が殺されるという殺人事件。最後のひとつは、税金逃れに二重帳簿をつけていた酒場から本物の帳簿が盗まれ、店主が脅されるという脅迫事件。

この三つの事件をスカダーが調査し、最後に三つとも解決するというものだが、スカダーさん、調査のためにとにかくよく歩く。今なら携帯一本ですみそうなところへもいちいち足を運ぶ。なんだかそれだけでもノスタルジーを喚起させられる。
原題のタイトル――When the Sacred Ginmill Closes（聖なる酒場が閉まるとき）――は本文でも紹介されているが、フォーク歌手、デイヴ・ヴァン・ロンクのLast Callの一節から取ったものだ。本書を訳してすぐの頃、ご本人が日本でライヴをやるという新聞記事をたまたま見かけて聞きにいった。確か西荻窪の小さなライヴハウスだった。
このLast Callは聞くことができなかったが、ギター一本で二時間近く歌いつづけるパフォーマンスはなかなかのものだった。が、なにより印象的だったのは、演奏終了後、即、袖から現われた付け人らしき人からコップになみなみと注がれたウィスキーを渡され、客のまえでそれを実に旨そうに一気飲みしたシーンだ。私が酒飲みだからかもしれないが、実にカッコよかった。まあ、この人、きっとアル中なんだろうなとは思ったけれど。
Last Callは〈ユーチューブ〉で聞ける。ご関心ある向きはどうぞ。アイルランド民謡風のこれまた滋味のある曲である。
(https://www.youtube.com/watch?v=AaRTvAFIYF4)

翻訳に関しては今回は数字の話。

翻訳を始めて十年近く経っていたわけで、それでもまだ知らなかったのかと思い、がっかりさせられたのが、銃の口径の表記。三十七口径などという表記が出てくるたび、前回でも書いたけど、なんとか念力で消せないものかと思った。十という数字を。そう、三七口径とするのがとりあえず正解だ。というのも、この数字の意味するところは0・37インチ、小数だからだ。小数は〝十〟をつけて読まない。ま、細かいことではありますが。

もうひとつは分署の表記。六十八分署というのを見つけてがっかり。これも念力で〝十〟を取りたくなった。六八分署とするのがこれまたとりあえず正解。その理由は、実際にそのように発音されるからだ。つまりあの有名な八七分署も、eighty-seven precinct ではなく、eight seven precinct と呼ぶそうだ。これはおそらくニューヨークの分署の場合、正式な名称は最後に th がついて序数になるのだが、と言って、一から順に番号がついているわけではないことと関係しているのかもしれない。たとえば、マンハッタンだと一分署の次は五分署といった具合に。ま、これまた細かいことですが。

最後のこれは細かくないかもしれない。

There were 5 or 7 customers in the room. なる文に出くわし、私はそれを「その部屋には五

人か七人の客がいた」と訳していた。これって、どうしたって突っ込みたくなるよね。六はどこへ行ったって。この翻訳のあと、ある編集者から、こういうときには「五人か七人」ではなく「五人から七人」と訳すものだと教わり、なるほどと思ったのだが、今回、しかし、待てよ、とふと気になった。

こういう言い方、よく出てくるけれど、ネーティヴは気にならないんだろうか？ こういう質問をぶつけると、ジャパニーズは細かいなあ、と思うんだろうか？ なんてことを思い、日本在住のイギリス人の大学教授と、いつも世話になってるアメリカ生まれでイギリス在住の作家、マイクル・Z・リューインさんに訊いてみた。するると、意外な答が返ってきた。そんな表現、記憶にあるかぎり見たことない！

ええ!? 嘘。

で、今度は親しい翻訳者十人ほどにメールで訊いてみた。

すると、オーマイガー！ 半数以上から、あんまり見たことないけど、という答が返ってきたのだ。

そう、十名中四名は、自分も不思議に思っていた、と言ってくれたのだが、私にしてみれば全員から、あるある、みたいな答が返ってくると思い込んでいただけにこれまた大いに意外だった。

しかし、そんなメールのやりとりをする過程でいくつか面白い発見があった。「その部屋にはひとりかふたりいた」なんて文に黒原敏行さんは出くわしたことがあるそうだ。これはいくらなんでもひどいよね。ひとりかふたりぐらい一目見りゃわかるじゃん、と言いたくなる。

フランス語も翻訳している河野万里子さんからは、フランス語では「一週間後」を「七日後」ではなく「八日後」というなんてことも教わった。数えはじめる日も数えるからだ。英語とは関係ないけど。

しかし、きわめつきはちょうど『ロビンソン・クルーソー漂流記』の新訳をやっていた鈴木恵さんからの報告だ。親切なことに調べてくれたのだが、それによれば、『ロビンソン・クルーソー漂流記』の中には、5 or 7はなかったものの、4 or 6が一回、6 or 8が一回、10 or 12がなんと七回も出てくるという。

私はさっそくこの結果をリューインさんにぶつけてみた。

すると、10 or 12にはなじみがある！　という返事が返ってきた。つまり、数字によるらしいのだ。これはひょっとしたら、「ダース」という数え方があちらにはあるので、それとも関係があるかもしれないが、いずれにしろ、「その駐車場には車が二台か三台停まっていた」というのはbad writingだとおっしゃっていて、そのあたりの感覚は日本人もネーティヴも同じだということがわかってちょっとほっとした。

結局、5 or 7については あいまいな部分も残ったのだが、「5から7」とやるのは妙に正確な印象を与えて、原意とずれるのでは？ と黒原さんに指摘され、長いこと「5から7」でやってきた私としては、これまたなるほどと思わされる一幕もあった。いずれにしろ、数字は案外面倒だというのが、ま、さしあたって無難な結論と言えるだろうか。

最初に書いたとおり、本書を翻訳した一九八六年、日本はバブルの真っ最中だった。が、年表を見ると、この年の四月にチェルノブイリの原発事故が起きている。その後四半世紀を経て、日本でも同じような事故が起きた。にもかかわらず、現在、全国各地で原発を再稼働させようという動きがある。人間、霞を食べては生きていけない。原発を推進している人たちにもきっと理由があるのだろう。しかし、核燃料のゴミをどこに捨てるのかも決まっていないのに、どうしてそんなことが考えられるのだろう？ また、ゴミ廃棄の方法は地中三百メートル以上のところに数万年以上埋めること、などと法律で定められているそうだが、そんな法律、私にはジョークとしか思えない。いいですか、数万年ですよ。

なんだか最後は小言幸兵衛みたいになっちまったけど、この原稿を書いていたら、三十年前、ビジネスホテルの小さな机に向かって朝から晩までひとり黙々と仕事をしていた自分の姿が脳裏に浮かび——自分じゃ見られないから想像だけど——急に自分が愛おしくなった。小言同様、これまた歳のせいか。

第五回　アン・タイラー『アクシデンタル・ツーリスト』の巻

早川書房／一九八九年

めざすべき翻訳とは？

翻訳を生業と呼べることの幸運と幸福、このふたつをこの作品ほどしみじみと感じさせてくれた作品もほかにない。笑いとペーソス。このふたつがこれほどぎゅっと詰まっている小説も珍しい。三十年まえに原著を読み、翻訳し、今回再読し、いったい何度笑わせられ、何度ほろっとさせられたことだろう。仕事を離れ、個人的な読書体験の中でもベスト3にはいる。

物語は、まあ、どこにでも転がっていそうな普通の人たちの普通の話だ。主人公メイコンは、観光旅行ではなく、ビジネス旅行をする人のためのいたって実用的な旅行ガイドブックのライター。でもって、本人は大の旅行嫌い。だから取材にはいつもいやいや出かけている。そのガイドブックのシリーズ名が本書のタイトル『アクシデンタル・ツーリスト』で、このaccidentalということばが実に洒落ているのだが、うまく訳せず（今も思いつかない）邦題は原著のままにした。accidentalは〝偶然の〟や〝不慮の〟といった意味だが、ここでは、自ら好んで旅しているわけではない、不承不承たまたま旅している旅行者ということになる。

本書は映画化されて、その邦題は『偶然の旅行者』。なんのことかよくわからない。しかし、そういうことを言えば、拙訳のタイトルも同じだ。〝事故ばっかり起こしている旅行会社〟みたいに聞こえなくもないことを考えると、そういった誤解を与えかねないぶんよくわからないだけでなく、むしろマイナスだ。こういうことばに出会うたび、今さらながら翻訳って結局、不可能なことなんだよね、なんて思ってしまう。自分の非力を棚に上げて。

閑話休題。

メイコンは一年前に十二歳の息子を亡くしている。スーパーマーケット強盗に巻き込まれて犯人に撃ち殺されたのだ。以来、妻のサラとのあいだがぎくしゃくしはじめ、ついにふたりは別居し、メイコンは子供の頃過ごした祖父母の家にふたりの兄とひとりの妹とともに住むようになるのだが、ひとつ問題を持ち込む。まるで躾のできていない犬を飼っており、それが新しい家族全員の悩みの種になるのだ。そこへ犬の訓練士ミュリエルが登場する。これが見てくれから着ているものから何から何まで、実に奇妙奇天烈なシングルマザー。訓練士としての腕は確かなのだが、訓練中、訊かれもしないのに自分のことばかりしゃべっている。暮らしぶりもだらしがない。一方、メイコンのほうはどこまでも実務的な無口な男で、まさに水と油だ。ところが、そんなふたりが紆余曲折を経て徐々に惹かれ合うようになるのである。

本書の訳者あとがきにはこんなことが書いてある——「本書は第一級の恋愛小説である（中略）恋愛といえば、生いたちも現在の境遇も似かよい、どっちが男だか女だかわからないような者同士の、クールなむすびつきが新しいのだそうだが、それは所詮二流の恋である。二流が悪いとは言わないが、しかし、恋愛の醍醐味は異なる者同士が出会い、水と油もひょっとしたら交わることがあるやもしれぬ、と思わせてくれるところにある」。

誰だ、おまえは？　恋愛評論家？　占い師？　昔の自分の文章を読んで恥ずかしくなるというのは、正直言うと、私はあまりないのだけれど、この文だけは恥ずかしい。正真正銘の若気の至りである。今後の戒めにあえて載せたが、ちょっと弁解をすると、本書を訳しおえたあとの興奮ぶりがこのあとがきからもうかがえる。

いずれにしろ、ふたりがいい仲になったあと、メイコンは別居中のサラとよりを戻し、ひとり息子を亡くした苦しみを乗り越えて、またふたりでやり直そうとする。おいおいおい、と言いたくなるところだ。なんと自分勝手な、と。ミュリエルとの仲はどうするのか。昔ながらの、そして永遠のトライアングルだ。しかし、しかし、最後にはとびきりのエンディングが待っている。

残念ながら邦訳は絶版になって久しいが、原著はとても平明な文章なので、読まれることを是非ともお勧めしたい一冊だ。

本書はいわゆる純文系で、しかも初めての女流作家ということで、それまでミステリーしか訳していなかった私はけっこう身構えた。まあ、いくらかはことばをやさしくしようと思ったぐらいのことにしろ。それまでは〝クソ野郎〟だらけだった訳文をちょっと改めようと思ったわけだ。もっとも、本書の原文にはそもそもそういうことば自体あまり出てこないのだけれど。

いずれにしろ、その翻訳の仕上がりにはちょっと自信を持った。いい感じで、それまでとはちょっと趣きの異なる訳文になっているのではないか。そう思ったのだ。ところが、本書が出てすぐに読んでくれたある同業者の雨澤泰にこんなことを言われた。

「田口さんは何を訳してもマット・スカダーですよね」

「……」

雨澤さんは私の翻訳をけなしたわけではないのだ。むしろ誉めてくれたのだ。田口は早くしてすでに翻訳のスタイルを確立している、と。それでも、このことばは私にはちょっと衝撃だった。そして、同時に大いに示唆的でもあった。原作あっての翻訳で、原文あっての訳文である。言うまでもない。だから原文の意味だけでなく、雰囲気、響き、リズム、さらには香りなどなど、できるだけ訳文からも伝わるようにすべきだ、という考えがある。とりあえず翻訳の正論のように聞こえなくはない。しかし、である。そうは言っても、ひとりの翻訳者にそんなに自分の訳文を原文に合わせられるものなのかどうか。

ここは翻訳者によって大いに意見の分かれるところだろう。また、純文系の翻訳者とエンタメ系の翻訳者でもちがってくるかもしれない。が、私の考えははっきりしている。〝そんなに合わせられるものではない〟だ。少なくとも、私にはそんなに器用な真似はできない。何を訳してもマット・スカダーにしかならない訳者としてはなおさら。

では、翻訳の現場を与る者としてはどんな訳をめざせばいいのか。大きな問題だ。ずいぶんといい加減な記憶で申しわけないのだけれど、以前どこかで誰かがこんなことを書いていたか、言っているかしたのを読んだか聞いたかしたことがある――「原文を普通のネーティヴが読んで感じることを普通の日本人が私の訳文を読んで同じように感じてくれたらいいなと思う。私はそんな訳をめざしたい」。

これを読んだか聞いたかしたとき、なるほど、うまいことを言うな、と思ったのを覚えている。が、そのあと、いや、待てよ、と思い直した。普通のネーティヴって誰よ？普通の日本人って？ そう思ったのだ。フィクションの場合などことさら、読者の感想は十人十色である。となると、〝普通の〟読者というのは最大公約数的な読者ということになる。

最大公約数的なネーティヴと日本人が想定できないと、この物言いはなんの意味も持ちえない。しかし、そういうネーティヴと日本人が想定できるだけで、これは大変な才能なのではないか。私にはそんなことはとてもできない。そう思ったのだ。そもそも何を訳してもマット・スカダーなんだし。（根に持ってる、私？）

ただ、このことば自体はずっと気になっていた。それがある翻訳者からまさに眼から鱗の新たなことばを聞いた。その翻訳者とはスウェーデン語翻訳家、ヘレンハルメ美穂さん。このコラムの掲載サイト『アメリア』で対談をして、ヘレンハルメさんに、あなたにとっていい翻訳とは？　と尋ねたときの答だ。

——自分が原書を読んで受けたイメージがそのまま伝わるのがいいのかなと思っているので、いつも「自分が受けた印象は何か」を考えます。

なんてことないようで、これはすごいことを言っていると私は思う。普通のネーティヴではなく、あくまで自分が感じたことが訳文に表われていたらいい。なんの気負いもなくそうおっしゃった。しかし、翻訳者としてこれが一番正直で、一番謙虚なことばなのではないだろうか。自分が感じたことをそのままことばに表わすことだけでも、簡単なことではないのだから。

だから、みなさんにもお勧めしたい。まずは自分が感じたことを正確に伝えられる訳文をめざすこと。最初はそういうことから始めるといい。ネーティヴ云々はそれができるようになってから考えても少しも遅くはない。いや、正直に言おう。そんなことはあまり考えなくてもいいのではないか。それが私の本音である。

本書が出た一九八九年は昭和が終わり、平成が始まった年だ。またこの年の六月には中国で天安門事件が起き、自由を求めた学生が弾圧され、死者まで出た。そして十一月、ついにベルリンの壁が壊される。振り返ってみると、世界が大きく変わった年だった。

第六回　マイクル・Z・リューイン『刑事の誇り』の巻

早川書房／一九八七年

頑固親爺とおやじギャグ

時間を追って取り上げていくつもりだったのだけれど、大切な本と大切な人を忘れていた。本書はハードボイルドとは何かということを私に一番わからせてくれた本で、その著者のリューインさんはメールだけのつきあいながら、のちに一番親しくなれた英米の作家である。

どんな話かというと、リーロイ・パウダーというインディアナポリス市警の警部補が主人公のいわゆるモジュラー型——いくつかの事件がほぼ同時に起こり、その捜査がそれぞれ並行して描かれる——の警察小説で、それぞれの事件の謎解きもさることながら、一番の読みどころはなんといってもパウダーという頑固親爺のキャラそのものだろう。

それと、彼の部下の美人部長刑事、キャロリン・フリートウッドとの丁々発止としたやりとりだ。

フリートウッドは職務中に銃で撃たれ、その後遺症で半身不随になってしまい、今は車椅子生活。パウダーはそういう相手にも容赦がない。甘ったれるなとばかりに車椅子での外まわりを命じれば、どう考えても彼女には無理な仕事をわざと頼み、おっと、おまえさんは歩けないんだったな、などと信じられないような嫌味も平気で言う。しかも勤務時間外に何度もフリートウッドの自宅を勝手に訪ねては、公私混同した仕事を押しつける。パワハラ・セクハラの権化みたいな上司である。

だからと言って、フリートウッドも負けてはいない。現場の刑事の仕事がやりたいのなら、さっさとケツを上げて、骨を折ることだ、とパウダーに言われると、言い返す。「ケツの骨ならもう折れてるわよ！」いやあ、カッコいいですねえ、正直、この女刑事にはしびれました。

当然のことながら、パウダーの口からは今だと校閲からチェックがはいりそうな差別語がぽんぽん飛び出す。ところが、このオヤジ、なぜか憎めない。妙な言い方になるが、口を突く嫌味に嫌味がないのだ。それになんといっても誠実で、裏表のないまっすぐな男だ。また、不良息子の対応におろおろしたり、薄幸の被害者を救えなかったことに涙を見せたりといった人間味も備えている。そんな頑固親爺にいくらかでも関心を持たれたら、是非ともご一読をお勧めする。すでに絶版になって久しいが、邦訳はマーケット・プレースで一円で、原著はキンドルなら四九〇円で入手できる。

リューイン作品は、本書のまえに貧乏探偵アルバート・サムスン・シリーズの邦訳を何作か読んでいたのだが、本書を訳しはじめて、しっくりとこない感がしばらくつきまとった。訳しながら、隔靴掻痒感が抜けなかった。原意をとりあえずなぞってはいるのだが、ぴたっと寄り添えていないようなもどかしさがあった。それが作品の三分の一ほど訳したところで、はたと気づいた。これがハードボイルドじゃん！

客観描写に徹し、ベタな内面描写は極力ひかえる。ハードボイルド・スタイルの〝いろは〟である。それぐらい当時の私も知らないわけではなかった。が、要するに頭ではわかっていても心ではわかっていなかったのだろう。そのことに気づいて拙訳を読み返すと、嘘みたいにしっくりくる。結局、実際に手直ししたところはさほどなかったのだが――結果オーライみたいなところはあったのだが――このことに気づくまえとあとでは自分の文がまるで別物に見えた。それだけはよく覚えている。

所詮、感覚の問題なのでうまく伝わるかどうか実は自信がないのだが、たとえば、このパウダー警部補はやたらと顔を両手でこする。そういう癖がある。それをいろんな場面でやるのだ。まいったなあといったときにも、苛立ったときにも、ほとほとあきれたときにも、もちろんただ疲れたときにも。訳文としては「顔をこすった」以外にありえない。ただ、その時々、どういう気分でこすっているのか努めて理解しようとして訳すのと、さして考えることなく、ただの癖ということで機械的に訳すのとでは、どこかちがってくるような気がするのだ。実際の訳文はさほど変わらなくても。

つまるところ、一文一文ちゃんとわかって訳すこと。少なくともできるかぎりわかろうとして訳すこと。まあ、これに尽きるのかもしれない。あたりまえと言えばあたりまえのことだ。が、本書は私にとってそんなあたりまえのことを頭ではなく、心でわからせてくれた大切な一冊である。

細かいところでは、私はこの当時残念ながら、ballistics の訳もできていなかった。その検査のことを「弾道学テスト」なんて訳している。実にお恥ずかしい。弾道学とは辞書によれば「推進力の勢い・弾丸の空気力学・大気の抵抗力・重力の相互作用などを考慮した研究」とある。要するに文字どおり「弾道」に関するものだ。発射された銃弾からその銃弾を撃った銃を特定するのに、弾道からわかるわけないじゃん。現在の辞書にはちゃんと載っているので、ご存知の方も多いと思うが、ミステリーによく出てくる ballistics とは「弾道特性」「射撃特性」「発射特性」と訳されるもののことだ。銃砲の銃身の内側には弾丸《たま》をよりまっすぐに飛ばすため、発射された弾丸に横回転がかかるよう螺旋の溝が彫られている。その溝が個々の銃によって異なることで、撃たれた銃弾から撃った銃が特定できるのである。

細かいところをもうひとつ。パーティで酔っぱらった若い女性がこんな詫びのことばを言う。「ごさんなめい」そう、I am sorry, sir. と言うべきところ、酔っぱらって呂律がまわらなくなって、I am sirry, so. になってしまったのをそのまま訳したわけだ。これは音位転換（メタセシス）と呼ばれるもので、日本語でも同じように起こる。「雰囲気」が「ふいんき」に、「オタマジャクシ」が「オジャマタクシ」になったりするやつだ。

私の訳はなんの工夫もないまんま訳だが、この音位転換でいつも思い出すのが田村義進氏の名訳だ。原文はDon't turk talkish. turkなどということばもtalkishなどということばも存在しない。(talkishはスラングで、talkativeの意味でつかわれることがあるようだが)。要するに、Don't talk Turkish.を言いまちがえたのだ。直訳すれば、「トルコ語を話すな」とってもトルコ語というのはなじみのない言語なのだろう。同じような言いまわしでDon't talk Greek.もある。これを田村先生はどう訳されたか――「何を言っトルコ」。

うまいもんだ。初めて眼にしたときには大笑いした。ただ、この訳は絶妙のおやじギャグではあっても、原意を写してはいない。原文はただの音の言いまちがえなのだから。「原文どおり日本語に」が翻訳の基本、あるいは理想とすれば、基本から、あるいは理想からずれた訳ということになる。それでも、だ。これは前回触れた「めざすべき翻訳」にも関連するが、めざすべきはなんの工夫もない私の訳ではなく、この田村氏の訳だと私は思う。

いつからだろうか、はっきりとは覚えていないのだが、メールだけのやりとりながら、翻訳でわからないことが出てくると、リューインさんに尋ねるようになってすでに二十年近い。手前味噌になるが、レイモンド・チャンドラーの短篇「待っている」の新訳をやったとき、私は四つの旧訳がすべて誤読していた結末を正すことができた。実はこれはリューインさんのおかげだった。（「待っている」については、第一八回、第一九回、第二〇回で詳しく触れます。）そのときもそうだったが、どういう質問をしても懇切丁寧な返事が返ってくる。これまでどれだけ助けられたかわからない。メールの中身はそのうち事務的な質疑応答だけでなく、プライヴェートなことにも及ぶようになった。一度も会ったことはないのに、メールのやりとりだけでこれほど近しく感じられる相手はリューインさんをおいてほかにはいない。一度ぐらいは会いたいものだと思ってはいるのだが。

第七回　エルモア・レナード『マイアミ欲望海岸』の巻

扶桑社／一九八八年

和臭か、無臭か、洋臭か。

もう一冊大事な本を忘れていた。タイトルは上記のとおり（原題はGold Coast）。言っておくけど、エロ本ではありません。しかしねえ……

主人公はカレン・ディシリア。ギャングの親分の妻。その親分が急死したことから物語が動きだす。カレンは御年四十四歳ながら、まだまだ魅力的な女性で、ちょっとはデートもしたい。が、誘いはあれこれ受けて、ひととき愉しく過ごしても、その相手からは次の誘いがかからない。それはもう不可解なほどに。実はこのことにはからくりがあった。

おれの死後、妻には誰ともつきあわせるな。死んだ夫はそんな遺言を遺していた。で、ボスの手下がカレンを見張り、一度でもカレンとデートをした相手を脅していたのだ。そんな脅し役に、刑務所を出たばかりのローランド・クロウという男が新たに任じられる。これが筋金入りのワルで、カレンの監視役の報酬だけでは満足できず、カレンの全財産を奪い取ろうと画策する。

そこにとりあえず白馬の騎士のように登場するのがイルカ・ショーのスタッフ、カルヴィン・マグワイア。カレンといい仲になり、ローランドの魔の手からなんとかカレンを救おうとするのだが、彼自身、これまでに何度も警察の厄介になっているような男で、ピカピカの騎士とはいかない。真情からカレンを救おうとしているのか、それとも結局のところ、金目当てなのか、ちょっと微妙なところがある。また、決して悪い男ではないのだが、いささか頼りないところもある。

いずれにしろ、そんなマグワイアとカレンvsローランドというのが物語の結構で、双方――あるいは三つ巴――のあれやこれやの駆け引きがあり、最後にはほろ苦い結末が待っている。

著者のエルモア・レナードは八〇年代に日米、時期をほぼ同じくして大いに流行った作家だが、私も当時完全にノックアウトされたクチだ。これは訳者の高見浩氏の流麗な訳に負うところも大きいとは思うが、レナードの代表作『グリッツ』を読んだときの衝撃は今でもよく覚えている。何が衝撃的だったのか。とにもかくにも〝今〟が描かれている！　そう思った。

現代小説には通常〝今〟が描かれるものだが、レナード作品はどこか懐かしさをたたえつつ、同時に〝今〟をひりひりと感じさせてくれる。私はそこに一番魅かれた。ただ、彼のこの魅力をきちんと伝えるのはけっこうむずかしい。日本の担当編集者もきっと困ったのだろう。単行本の『グリッツ』の帯にはこんな文句が書かれている――「宣伝文句は書きません。批評家の賛辞も省略します。ただ〈レナード・タッチ〉を味わってください。」おそらく苦肉の策だったのでは、と想像するが、発表当時はこのコピーも大いに話題になった。

スティーヴン・キングはレナードの文章の魅力を「雪のひとひら」に喩えている。つまりひらひらと舞ってどこに着地するかわからない。そこが魅力だと。これは文章だけでなく、作品そのものにも言えそうな気がする。たいていの作品がよくある話なのに、さきが読めないのだ。さきが読めないこと、これはエンタメ小説では大切なことである。もうひとつ私がレナードにノックアウトされたのは、描出話法の巧みさだ。この話法はもちろんレナードの発明ではないが、この話法を彼ほど巧みに効果的に使う作家はそうそういまい。実は昨年（二〇一七年）、私はレナードの『ラブラバ』の新訳版の翻訳をやらせてもらったのだが、このレナードの描出話法については、私なりに理解しえたことを訳者あとがきに書いている。少し長くなるが、引かせてもらう。

直接話法でも間接話法でもないこの中間の話法がレナードは実に上手い。これを多くは悪玉の台詞とその前後の地の文でやってみせる。悪玉の台詞と地の文の境界を意図的にあいまいにし、要は地の文における悪玉の独白ながら、そこに悪玉の声だけでなく、作者の声、あるいは悪玉とはかぎらないわれわれ一般人の声も含ませる。一般読者はレナード作品に登場する悪玉のようには普通考えない。また、いくらかでも教養と良識を備えていれば、彼らのようなことばづかいも人前ではしない。それでも、ときには教養も良識もかなぐり捨てて、誰しも思いきり卑語を吐いたり、わざと意地悪く差別的なことを考えたりしたくなることも、ま、ないではない。で、そういうことを誰かが代わりにやってくれると、うしろめたさを覚えながらも、ひそかに溜飲を下げることもこれまたないではない。『グリッツ』や本書が書かれた八〇年代、当時の新人類〝ヤッピー〟が真っ先にレナード作品に飛びついたそうだが、その理由はおそらくそのあたりにあったのだろう。悪人の台詞の中だけでなく、〝誰か〟が地の文でそうした〝本音〟を語ってくれるところが、朝から晩まで働いてあくまで〝実力〟で大金を稼いでいるのに、リベラル派からは自己中心的だのスノッブだのと揶揄、批判されたヤッピーたちにはいかにも痛快だったのだろう。

今回の『マイアミ欲望海岸』の拙訳については、読み返して自分でも笑ってしまったのが「ストローハット」だ。このことば、今ネットで検索したら、五百万件もヒットしたから、今ではファッション界などでは普通に使われていることばなのだろう。が、三十年まえにはそれほどではなかったと思う。なのにファッションなんぞにはなんの興味もない私がどうして「麦わら帽」ではなく「ストローハット」などとしたのか。なんだか「麦わら帽」がダサく思えたのだろう。金髪の外人さんには「麦わら帽」ではなく「ストローハット」をかぶってほしい。そんな気持ちが働いたせいだと思う。もしかしたら、そんなふうに考えるところが私のファッションセンスのなさの証しかもしれないが。

この『マイアミ欲望海岸』(何度も書きたくないタイトルです、はい)には出てこなかったが、styrofoamということば。「スタイロフォームのカップに注いだコーヒー」などこれまで何回訳してきたかわからない。どうして「発泡スチロール」じゃ駄目だったのか。これも「ストローハット」と同じ理由だ。さすがに最近の仕事では「発泡スチロール」と訳しているが。一方、sweat suitを「ジャージ」と訳すのには今でも抵抗があって、「スウェットスーツ」としたくなる。こうなると、ま、ただの好みの問題になりますが。

いずれにしろ、当時の私の訳にそういうバイアスがかかっていたのは、当時はまだ「和臭」を避ける風潮が残っていたからだと思う。翻訳ものがあまりに「和風」になってしまっては、それはもう翻訳とは言えないといったような——実はこれは明治以来のことなのだが——そんな雰囲気がまだ翻訳界にあった。たとえば、ミステリーには、殺人の被害者を指す刑事たちの隠語で、poor bastardということばがよく出てくる。直訳すれば、〝哀れなくそったれ〟。被害者に対してなんともひどい呼び名だ。これはいわゆる心理学で言う「否認」の成せる業だろう。日常茶飯に死体と出会う殺人課の刑事はいちいち犠牲者に同情していては身が持たない。だからわざとそんな呼び方をして、できるかぎり現実を感情的にとらえないようにしているのだろう。

閑話休題。このpoor bastardには刑事の隠語としてぴったりの日本語がある。そう、意味は真逆ながら、テレビや映画や小説の警察ものでおなじみの「ホトケさん」だ。でも、西洋人が死んでホトケさんになる？　ま、仏教徒のリチャード・ギアはいいとして。だから私なんぞはこの訳語を使ったことはこれまで一度もない。

今の若い翻訳者でそういうことを気にする人は少ないようで、「ホトケさん」もけっこう見かける。これはもちろんどっちがいい悪いの話ではない。翻訳に求められるものは時代とともに変わるのだから。ただひとつ言えるのは、今はいわゆる翻訳調というものが昔ほどには求められなくなったということだ。日本はダサくて西洋はカッコいい、といったやみくもに西洋をありがたがる風潮が薄れてきたということだ。これは洋楽邦楽、洋画邦画のこの何年もの趨勢についても言え、これ自体は悪いことではないのだろう。自前の文化でほぼ充足できるということ自体は。ただ、西洋に対する憧れが減るぶん、翻訳ものが売れなくなるというのは、翻訳者としてはなんとかしたいところだ。

エルモア・レナードは私にとっていささか因縁のある作家でもある。私がまだ駆け出しの頃、レナードが日本でブレークする以前、早川書房からレナードのある作品の翻訳を頼まれながら、その後版権に問題が生じて、最初を少し訳したところでストップがかかったのだ。面白い作品だったので、そのときはとても残念だった。そんな作家の別の作品がその後何年か経って扶桑社からまわってきた。それがこの『マイアミ（以下省略）』と『キャット・チェイサー』で、さらにその直後、早川書房からレナードの異色作『タッチ』を訳さないかという話が舞い込んだ。まえのことがあったので、埋め合わせのつもりで声をかけてくれたのかもしれない。

さらに話は続く。早川から依頼がありながら上梓できなかったこの最初の作品、東京創元社から訳さないかと依頼された。なんと三十年近くのちに。二〇〇七年に出た拙訳『身元不明者89号』がそれだ。また、さきに書いたとおり、昨年には『ラブラバ』の新訳をやることもできた。ひとりの作家と長らくつきあうというのはないことではないが、こんなふうにぽつんぽつんと長くつきあいが続くというのはけっこう珍しい。

〈レナード・タッチ〉。これがレナードの魅力のキーワードだが、それをうまく伝えるのはむずかしい。さきのコピーではないが、「ただ味わって」もらうしかないのだけれど、今読んでも絶対に面白い作家のひとりであることだけは訳者のひとりとして請け合っておきたい。村上春樹氏のお気に入りの作家でもあり、氏はレナードの『オンブレ』という西部小説を訳している。レナード作品の大半は善玉vs悪玉の対決劇で、ストーリー自体はだいたい単純なものながら、これが読ませるのだ。是非ご一読を。

第八回　クレイグ・ライス『第四の郵便配達夫』の巻

東京創元社／一九八八年

名物編集者との超肩こり初仕事

さらにもう一冊忘れていた。正直に言うと、自分の翻訳自体に関してはさほど思い出深い本でもないのだけれど、私のささやかな翻訳人生においてはあれやこれや思い出の残る本だ。

ジョン・J・マローンという酔いどれ弁護士が、同じ時刻に同じ場所で郵便配達夫が三人続けて殴り殺されるという不可解な難事件を解決するという話で、犯人の動機がミステリーの主眼となるいわゆる「ホワイダニット」ものだ。実はシリーズものでもあって、長篇が十二作、中短篇は四十二作も書かれている。本書は長篇九作目。作家のクレイグ・ライスはユーモアあふれる本格ミステリーを得意とした女流作家で、日本でも息の長い人気がある。初お目見えは一九五〇年代だが、二十一世紀にはいっても新訳が数冊出されている。

この私の訳も実は新訳だ。それも私にとって初めての新訳で、版元から翻訳依頼があったときにまず思ったのは——とことん正直に言うと——旧訳があるならわからないところはそれを見ればいい、楽勝だ！　ということだった。こういうところからも翻訳者としての私のお里が知れようというものだが、いずれにしろ、そんなことを思ったせいだろう、版元に旧訳本があったら貸してくださいとは言えなかった。新訳に際して旧訳を読まないというのはむしろ失礼な話なのに。

その旧訳はすでに久しく絶版だった。今とちがって、当時は絶版になった本を手に入れるのはけっこう厄介な仕事で、どうしたものかと考えあぐねていると、書評家の関口苑生さんが一冊持っているという。で、私が事情を話すと、親切にも送ってくれた。しめしめと思い、さっそく原著を読んですぐにはわからなかった個所を旧訳で確かめてみた。がーん！　抜けていた。訳しおえたときには、自信を持って訳せなかった個所についても見てみた。がーん！　これまた抜けていた。実のところ、本腰を入れて調べると、解釈がむずかしそうに思われる個所は全部抜けていた。

この旧訳の刊行は五〇年代、昔はそういうことがよくあったらしく、そのことだけを取り上げると、この旧訳も不誠実で不備な翻訳ということになるかもしれない。が、それ以外の訳文は実に見事なのだ。私なんぞは逆立ちしても敵わない名訳文がごろごろしていた。また、物語の大すじで考えれば、抜けているのはさして問題のない個所ばかりである。もちろん、誤訳や抜けはないほうがいいに決まっている。それでも、誤訳や抜けはなくてもつまらない訳文と、誤訳や抜けはあってもすばらしい訳文というのは実際にあるもので、どちらか選ばなければならないとなれば、私は迷わず後者を選ぶ。それは私自身が誤訳や抜けがわりと多い翻訳者だからかもしれないが。

本書が思い出深い一番の理由は、私に翻訳を依頼してくださったのが名物編集者、戸川安宣氏だったことだ。戸川さんはのちに東京創元社の社長にもなられるのだが、当時から名編集者として名を馳せておられた。そのような編集者からの依頼に、駆け出し翻訳者としてはまさに身の引き締まる思いだった。初めて会って打ち合わせをしたとき、高名なミステリーのプロを相手に、とにもかくにもボロを出さないよう緊張しまくったのを今でもよく覚えている。

そのとき担当編集者として戸川さんに紹介されたのが、これまたのちに名編集者となり、現在は書評家として活躍しておられる松浦正人さんだった。その松浦さんから返されてきたゲラを見て、私はのけぞった。鉛筆書きで真っ黒になっていたのだ。こんなにミスをやらかしていたのか、とまず思った。もちろんそういう個所もあった。また、松浦さんから提案された代訳のほうが拙訳よりはるかにすぐれているところも多々あった。が、それらに加えて、松浦さんの好みを反映した部分も少なくなかった。たとえば、ふたつの文をつなぐのに「〜だった。が、〜」みたいなところがあったとする。そういう個所について、「ここは〝が〟を省いたつなげ方もあるのでは?」といった指摘がけっこうあったのだ。

松浦さんのそうした指摘のおかげで拙訳の第一稿が格段にブラッシュアップされたことはきちんと言っておかなければならない。その上で、編集者と翻訳者の仕事の分担とはどういうものなのか初めて考えさせられたのがこの本だった。指摘を受けていくらかでも訳稿をよりよいものにできたら、それは表向きにはすべて訳者の手柄ということになる。だからどんな指摘も――中にはとんちんかんなものもないではないが――訳者にとってはありがたいものだ。

一方、あまりに多く指摘されると、指摘された個所にばかり眼がいき、訳文全体の流れのチェックがおろそかとまでは言わなくても、どうしても甘くなる。翻訳者と編集者の仕事の分担の線引きはどのあたりに引けばいいのか、引けるものなのか、そもそも引くべきものなのか、答は出ないが、ただ、私にとってありがたい編集者というのは、大きく言ってふたつに分かれる。私のよさ（あるんです！）を引き出してくれる編集者と私のいたらなさ（わかってます）を補ってくれる編集者だ。松浦さんが後者だったことは言うまでもない。

この本が思い出深い理由がもうひとつある。以前にも書いたかもしれないが、この本が出た年は私が翻訳と教職との二足のわらじを脱いだ年で、定収入がなくなる不安から目一杯仕事を引き受けた。当時はまだ手書きで、3Bの鉛筆と四百字詰めの原稿用紙を使っていたのだが——そうそう、「田口はねんねこで幼子《おさなご》をおぶって、ミカン箱を机に仕事をしてるそうだ」などと口の悪い田村義進に言いふらされたのがこの頃だ——この本を訳しているときに首がまわらなくなった。借金のせいではなく、激痛のせいで。文字どおり一ミリでも首を動かすと、激痛が走り、ずっとじっとまえを向いていなければならない期間が一週間ほど続いた。医者に診てもらったら、骨に異常はなく極度の肩こりということだった。このときの自分を思い出すたび、めったにないことだが、自分が愛おしくなる。

翻訳に関して今回読み返して思ったのは、今の自分のスタンダートに照らすと、不必要な主語が多いということだ。一方、ことばの反復を避けるためだけに主語を省略し、結果、わかりにくくなってしまっている文章を時折見かけることがある。これはやめたほうがいい。主語をただ機械的に省くというのも。確かに、主語が不必要に繰り返される文章はどうしても稚拙に見える。それでも、稚拙に見えるのを避けたいがために、伝えようとすることがあいまいになってしまっては元も子もない。自分の言いたいことができるかぎり正確に相手に伝わること。これがなにより優先されるべき作文術だ。巧拙は二の次でいい。

「ひとりごちる」という訳語もあった。これはもともと古語の「ひとりごつ」が現代語っぽく変化したものだ。だから木に竹を接いだようなところがあって、語形変化ができない。「ひとりごたない」などという言いまわしは見たことがない。ことばは正しく使いたい。一方、人が現実につかっていることばというのは常に乱れているもので、その乱れの中にことばのダイナミズムが生まれることもある。翻訳者としてはダイナミズムのあることばも使いたい。たとえ正しいことばづかいではなくても。これは死語と新語にどうつき合うかという問題とも通じるところがある。

私の場合、「ひとりごちる」ということばは今は避けているが、これと同じようなことばに「濡れそぼった」があり、ある編集者に教えられたことが避けるきっかけになった。この「濡れそぼった」も「濡れそぼつ」という古語が現代語風に変化したもので、語形変化ができない。そういうことを教わり、そのとき私はなるほどと思った。つまり、「正しさ」のわけを知り、そのわけに納得できた。それ以降、そういうときには「正しさ」を選択するようにしている。規則的に「正しさ」に従うのではなく。なるほどと思う幅は人それぞれだろう。が、それはそれで別にかまわないのではないか。そんなふうに思っている。

ついでながら、「耳をすませて」か「耳をすまして」か。私は「すまして」が正しいと思うのだが、このところ「耳をすませて」が主流のようなのでひとこと。「すまして」は五段活用の「すます」の連用形で、「すませて」は「すむ」に「せる」という使役の助詞がついた形だ。とすると、「すませて」とする場合、「耳がすむ」という言い方がそもそもなければならないわけだが、そういう言い方はあまり聞いたことがない。ゆえに「すまして」が正しい、というのが持論なのだが、「すませて」と書いておられて、今のこの私の説明で「なるほど」と思われたら、すまして教に今日から宗旨替えしていただけたら、教主としてはちょっと嬉しい。「なるほど」と思わなければ、どうぞご随意に。

もうひとつは「バンガロー」(bungalow)。これは白状すると、迂闊なことにわりと最近まで使っていた。もともとはヒンディー語で「簡単な藁葺き家屋」を指し、原意は「ベンガル風の」で、イギリスでは「平屋住宅」、アメリカでは通常平屋の「小さな家」だと辞書にも出ている。なのに「バンガロー」と訳すと、キャンプ場に建っているようなものを連想させてしまう。ここは「ごく普通の平屋の一軒家」とすべきだった。

この本が出た一九八八年とはどんな年だったのか——青函トンネルが三月に開通し、石川さゆりの『津軽海峡・冬景色』で有名な（あくまで個人の感想です）青函連絡船が終航している。同じ三月に東京ドームが開場。そのこけら落とし公演がローリング・ストーンズだったとずっと思っていたが、今、調べたら、私が記憶していたのはミック・ジャガーの単独公演で、しかも正規のこけら落としは翌月の美空ひばりの公演とあった。ま、驚くことではない。人の記憶とはいい加減なものである。それが年々歳々ひどくなる……

二章

昨日のスラング、今日の常識

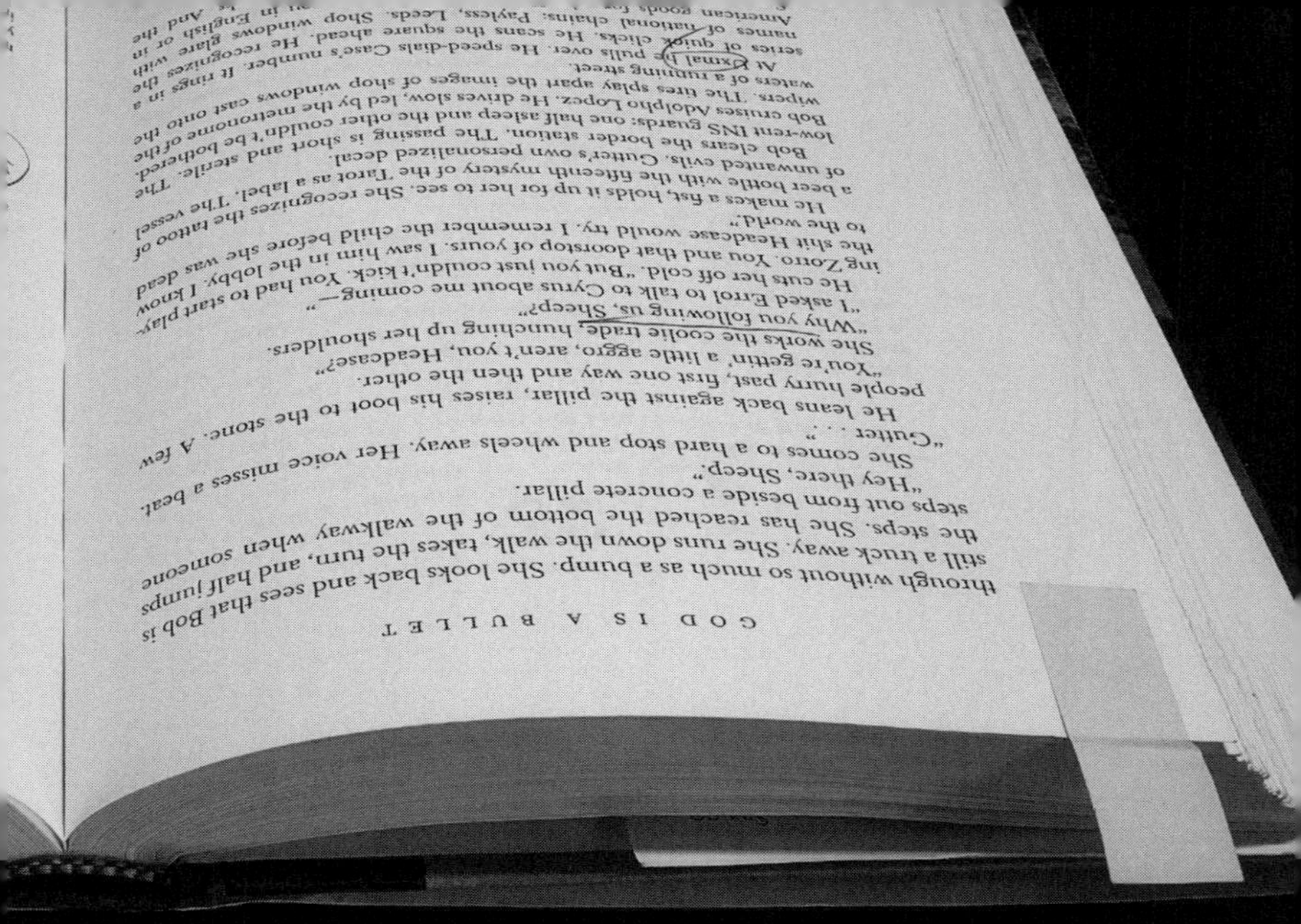

were not of university age, because he didn't like to think of Milton Jenning's grandchildren running in the streets with a lot of long-haired Commie bums.'

'Wait.'

Pendel waited.

'Okay. More.'

'Then he said I should take care of Louisa, and how she was a daughter worthy of her father on account of putting up with that duplicitous bastard Dr Ernesto Delgado of the Canal Commission, God rot him. And the General's not a man for language, Andy. I was shaken. So would you be.'

'*Delgado* a bastard?'

'Correct, Andy,' said Pendel, recalling that gentleman's unhelpful posture at dinner in his house, as well as several years of having him shoved down his throat as a latterday Braithwaite.

'Hell's he being duplicitous about?'

'The General didn't say, Andy, and it's not my place to ask.'

THE TAILOR OF PANAMA
John le Carré, Hodder & Stoughton, 1996

『パナマの仕立屋』
ジョン・ル・カレ、集英社／1999年

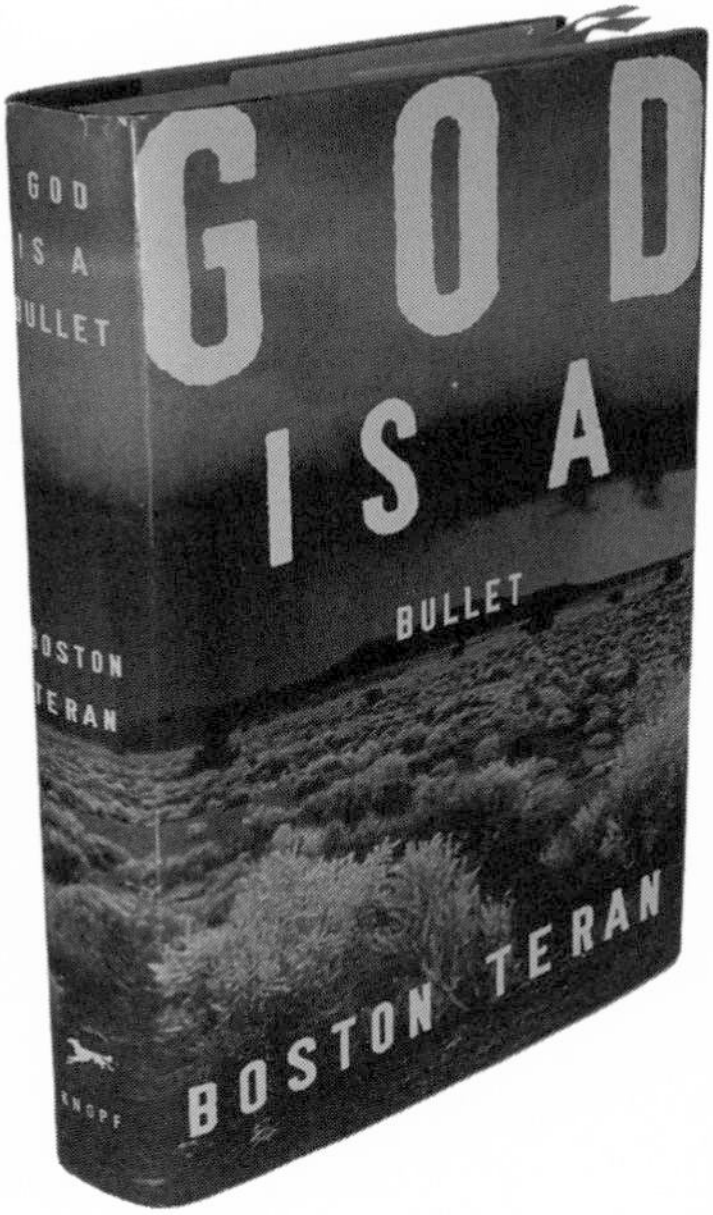

GOD IS A BULLET
Boston Teran, KNOPF, 1999

『神は銃弾』
ボストン・テラン、文藝春秋／2001年

第九回　チャールズ・バクスター『世界のハーモニー』の巻

早川書房／一九九一年

現在形は悪魔の囁き？

　この本が出た今から二十七年まえ、新宿の紀伊國屋書店にはこんな棚が特設されていた。ミニマリストと呼ばれる純文系のアメリカ現代作家たちの棚だ。彼らの作品が何十冊も並べられ、「アメリカ青春小説」と銘打たれていた。

　ミニマリストを日本でも流行らせたのは村上春樹氏である。作家で言えば、氏が紹介したレイモンド・カーヴァーということにやはりなるだろう。それに勢いづいて、アン・ビーティやボビー・アン・メイソンやブレット・イーストン・エリスといったほかのミニマリスト作家も日本の翻訳界を一時期にぎわした。バクスターもそうした作家のひとりだ。

本書は短篇集だが、本書が出る一、二年まえに、たまたま表題作「世界のハーモニー」の翻訳を頼まれ、読むなりノックアウトされた。偶然手にして読んだ本が大あたり、ということがたまにある。読んで改めて、そうなんだよ、おれは今、こういう本が読みたかったんだよ、と気づかされる本がある。この表題作の短篇は私にとってまさにそんなタイムリーな一作だった。

それを機会にこの短篇集のあることを知り、編集者に頼んで取り寄せてもらい（〈アマゾン〉がまだない頃の話です）読んでみて、全篇是非とも訳したくなり、全訳の翻訳を出さないかと持ちかけたのだ。そう言えば、翻訳の企画を版元に持ち込んだのは本書が最初である。そんな意味でも本書は懐かしく、思い出深い。

全十篇、ヴァラエティに富む作品集だが、ひとつひとつ触れる余裕はないので、やはり表題作を紹介したい。少し長くなるが、おつきあい願いたい、大好きな作品なので。

主人公のピーターは子供の頃、オハイオ州の小さな町では神童だった。ピアノが並はずれてうまかったのだ。しかし、都会の音楽学校に進学して現実を思い知らされる。神童や天才などというものはこの世にごろごろしていることを。自分にはプロのピアニストとして生きていけるだけの才能はない。そう悟ると、彼は地方都市の新聞社に就職し、音楽評を書いて生きていくことを決める。その傍ら、アルバイトにピアノ伴奏をして、声楽専攻の学生や独演者のリサイタルを手伝うようにもなる。そんな彼のもとにアマチュアのソプラノ歌手カレンが現われ、三ヵ月後に開く自身の独演会の伴奏を依頼してくる。ピーターはその依頼を引き受けるものの、あることに気づく。カレンの手首にはくっきりとリストカットの跡があった。

ふたりはさっそく練習を始める。そのとたん、ピーターには、カレンのピッチ（音程）が絶望的なまでに不安定なことがわかってしまう。それが彼には赦せない。カレンはプロの歌手ではない。アマチュアがただ友達を呼んで音楽を愉しもうとしているだけのことだ。だから大目に見てもよさそうなものなのに、それが彼にはできない。音程のずれがどうにも気になってしまい、それに眼をつぶるのは音楽に対する冒瀆とまで思ってしまう。

音楽への純粋にして大いなる情熱。しかし、ここで面白いのは、ピーターが音楽を断念した直接の理由が先生から受けたこんな面罵だったことだ——「（きみには）ひとつ忘れているものがある。情熱だ！　きみの演奏を聞いていると、まるでロボットが弾いてるんじゃないかと思ってしまう。きみの演奏は私をむかつかせる!」

芸術と情熱。永久不変の問題かもしれない。これについては——ちょっとばかり話が逸れるが——『ローレンス・ブロックのベストセラー作家入門』という作家指南のハウツー本の中で、ブロックさんがこんな小話を披露している。少し長くなるが、おつきあい願いたい。大好きな小話なので。ピーターと同じように先生に「きみには情熱がない」と言われて、プロのヴァイオリニストになることをあきらめた男の話だ。実業界に身を転じて、その男は大成功を収める。その後、何年も経って、セレブが集まるパーティに出席すると、そのときのヴァイオリンの先生も来ている。男は先生に挨拶に行き、改めて礼を言う。先生に的確なアドヴァイスをしていただいたおかげで、人生の進路をまちがえずにすみましたと。すると、先生は答える。きみの演奏なんか私は聞いちゃいなかった、それにそもそも私は誰にも同じアドヴァイスをすることにしてるのだよ、きみには情熱がないと。それを聞いて男は激怒する。人の一生に関わることなのに、そんないい加減なアドヴァイスをするとはひどいではないか、と。すると、先生は答える——だったら訊くが、もしあのときさみに情熱があったら、私にそんなことを言われても、あそこでヴァイオリンをやめたりはしなかったんじゃないのか？

話を戻す。ピーターとカレンは恋仲になるが、当然のことながら、ピーターはカレンのリサイタルを愉しめない。リサイタルのあとのパーティにもとても出る気になれない。この音楽に対するお互いの考え方の相違が、ふたりのあいだのどうにも克服できない障害となる。そのために、リサイタルの翌日、ちょっとした〝事件〟が起きる。ここには書かないが、これがなんとも切ない事件なのだ。彼女の置き手紙もどこまでも切ない。素敵な出会いをしたものの、このリサイタル以降、ふたりは永遠に交わることのない道を歩くことになる。

翻訳は芸術ではないが、技量と情熱がなにより成果に表われるところは共通している。だからよけいにこの作品が好きなのかもしれない。それと技量と情熱の話というのは、突きつめるとどうしても切ない話になる。ま、私の偏見だろうが、この切なさも悪くない。

翻訳に関しては、たぶん二十七年ぶりに読み返したのだが、ひとつも引っかかるところがなかった。これは実に珍しい。不思議なほどだ。

ということで、今回は小説における現在形の話をば。

ミニマリズムの作家の作品はまさしくその現在形に特徴がある。小説は通常過去形で書かれるものだが、ミニマリストの多くが作品を現在形で書いた。本書は実はそうでもなかったのだが、バクスターのこの次の短篇集『安全ネットを突き抜けて』もさらにその次の短篇集『見知らぬ弟』も収録作の大半が現在形だった。

作品すべてを現在形で書いた作家としては、デイモン・ラニアンがつとに知られる。二十世紀前半のアメリカの作家で、ニューヨークのブロードウェイを舞台に多くの短篇を発表した。翻訳では加島祥造さんの訳が有名だ。

私も一作だけ訳したことがあるのだけれど、この人の現在形とミニマリストの現在形は似て非なるもののような気がする。書かれている内容のちがいにもよるのかもしれないが、ラニアンを訳してまず思ったのは、ラニアンと時代的にも一致する野村胡堂の『銭形平次』だ。正確な引用でなくて申しわけないが、「するってえと、そこへがらっ八がはいってきます」などといった描写がけっこうあったように思う。私の中では、この芝居のト書きのような胡堂の現在形とラニアンの現在形は、いかにも市井のことばとして心地よく響き合った。

それに対して、ミニマリストの現在形は、私にはちょっと気取った感じ、もっと言えばキザな感じ、インテリっぽい感じ、不安定な現在形で現代人の漠然とした不安を表わしてます、ブンガクしてますってな感じで、最初はいささかとっつきにくかった。もっとも、これは読んだときの印象ではなく、いざ訳す段になって感じたことではあるのだが。

時制というのは、必ずしも原文どおりに訳さなければならないものでもないが、ミニマリストの場合、明らかに意図的な現在形であるわけで、ここまで徹底されると無視はできない。ただ、ミニマリストは短篇作家が多く、あくまで私の感覚だが、短篇だと現在形でも〝もちやすい〟とは思っていた。しかし、これが長篇となると、きついのではないか。本書を訳した頃には漠然とそんなふうに感じていた。

ところが、この現在形は流行のようになって、長篇にも用いられ、さらにはミステリー界にもじわじわと進出する。その嚆矢がおそらくスコット・トゥローの『推定無罪』だろう。訳者の上田公子さんも、この本の現在形には苦労したと当時語っておられたが、あちらでもこの『推定無罪』を素材にしたエッセイで——またご登場願うが——ローレンス・ブロックさんがそもそも小説を現在形で書くこと自体に疑問を呈している。題して、Gone With the Wind（風とともに去りぬ）ならぬ「Going With the Wind?（風とともに去っていく?）」。これまた正確に引けなくて申しわけないが、現在形は夢や回想シーンに用いるには適しているが、小説全体となるといかがなものか、現在形にすることでどれほど作品に付加価値がもたらされたのか、少なくとも、『推定無罪』は現在形だから売れたわけではないだろう、というのがブロックさんの主張だった。

翻訳ではこの現在形の意味についてさらに考えなければならない要素がある。時制を決定づける動詞のめだち方だ。英文では通常文頭近くにある動詞が日本文ではほぼ最後に来る。どう考えても最後のほうがよくめだつ。実際、現在形が流行った頃、現在形で書かれたミニマリストの小説の書き出しを知り合いのネーティヴ三人に一、二ページ読んでもらい、感想を求めたところ、現在形で書かれていることに気づいた者はひとりもいなかった。日本人が同じように現在形で書かれた日本文を読んだら、たぶん三人が三人とも気づくのではないだろうか。

本書を訳してから十年ほど経って、私としても思い出深い作品にして、ともに現在形で書かれた作品をたまたま二冊続けて訳すことになる。ボストン・テランの『神は銃弾』とデイヴィッド・ベニオフの『25時』だ。今から十七年まえ、私にはまだ現在形に対する抵抗感があった。「〜た」で終わらず、「〜る」で終わる文末がどうにも気になる個所があり、そういうところは過去形に変えた。ところが、『神は銃弾』の担当編集者永嶋俊一郎さんに言われたひとことで一気にそのもやもやした感覚が消えた。「田口さん、ここも現在形で行けるんじゃないですか?」というただそれだけの提案だったのだが、なんとも不思議なことに、そう言われると、むしろ全部現在形で通したほうがしっくり感じられるようになったのだ。(『神は銃弾』については第一三回と第一四回、『25時』については第一五回で詳しく触れます。)

今は所詮、これは感覚の問題だと思っている。現在形で書かれるあちらの作品は今でもあるが——ブンガク風味のミステリーにわりと多い——正直なところ、そういう作品のほうが逆に翻訳が楽だと思っている。現在形で全体を通すと、それだけでなんとなく文体が決まってしまい、その手の問題であれこれ悩まなくてもすむからだ。

一方、日本の小説には、文末が単調になるという理由から、ところどころに現在形を交ぜるという、ごくごく一般的な書き方があり、翻訳小説でもそれに倣ったものはけっこう見かける。すごく正直に言うと、私はこれが嫌いだ。とりあえず現在形を交ぜておけば「描写」っぽく見える。それは事実だ。しかし、その「っぽく見える」ことにためらいなく身を委ねてしまうのは、いかにも安易な気がするのである。自分の描写力のなさをごまかそうとしているような、なんだかずるい気がしてしまうのだ。

現在形の効用はもちろんある。それを認めるに吝かではない。私も現在形が嫌いなわけではない。ただ、どうせ使うならできるだけ効果的に使いたい。そういうことだ。書評家の池上冬樹さんに、田口俊樹は過去形の文体に特徴のある翻訳家だと言われたことがある。実を言うと、言われたときにはあまりピンとこなかったのだが、翻訳小説の中の現在形を読んで、おれならここは過去形だなと思うことがよくあるところを見ると、氏の言うことはあたっているのかもしれない。

さきに書いたとおり、所詮、感覚の問題だが、過去形か現在形かという問題は小説の描写視点の問題ともからんでくる、けっこう奥のある、感覚の問題だ。今回は紙幅が尽きた。この話の続きは機会を見つけてまたいずれ。

第一〇回 ネルソン・デミル『チャーム・スクール』の巻

文藝春秋／一九九六年

翻訳人生最大のピンチ!?

冷戦下のソ連を舞台にしたスパイ小説。ふとしたことからソ連のある地方都市の郊外に大規模なスパイ養成学校が存在することが発覚する。モスクワ駐在の米大使館職員リサと大使館付き武官（要するに国防総省のスパイですね）サムが密かにその調査に向かうが、逆にソ連側に囚われてしまう。このふたりの脱出、加えてヴェトナム戦争で捕虜となり、その養成学校で講師をさせられている何千もの米兵の救出を描いた一大スペクタクル作品。読みどころはスパイ合戦の最前線のリアリティだが、それにサムとリサにCIAモスクワ支局長のセスを加えた永遠のトライアングルもからみ、超一級のエンターテインメントに仕上がっている。

翻訳を手伝ってもらういわゆる〝下訳〟を頼んだことはこの作品以前にもあった。が、上下巻合わせると千ページを超える大作を丸々ひとりに頼んだのはこれが初めてだった。だから正直、不安もないわけではなかった。

が、それはまったくの杞憂に終わり、すばらしい仕上がりの下訳で、結局のところ、だいぶ楽をさせてもらった。かなりきつかった締め切りもきちんと守れた。で、大いに気をよくして、次の仕事に取りかかることができたのだが、ところが、ところが……

私の訳に不安を抱いた担当編集者がわざわざ手当てまで払って、私も知っている翻訳者に依頼し、私の訳を密かにチェックさせている、といった噂がどこからともなく聞こえてきた。慌てて当の編集者に電話で確認したら、そのとおりだと言う。いったいどこがまずかったのか。そのときまずい例として出されたのが以下の一文だ。

His estranged wife, Katherine, would get his pension and his life insurance.

彼（サム）には別居中の妻がいる。で、サムが死ねば、妻はどうなるかというところ。拙訳はこうだった。

別居中の妻キャサリンは、それで別荘と保険金を手に入れるだろう。

pensionには「下宿屋」といった意味もあるようだが、まあ、用例頻度で一番多い意味は「年金」だろう。いずれにしろ、日本語の「ペンション」の意味はない。ましてや「別荘」という意など。

お粗末な誤訳である。が、まま起こりうる誤訳だ。盗人猛々しく言っちゃうと、私はほかの作品でもこの程度の誤訳はけっこうやっている。もちろん、これは程度問題で、こうしたお粗末な個所が次から次と出てくるようでは、さすがに信用ならない翻訳ということになるだろう。果たして私はほかの部分でもどれほどいっぱいヘマをやってしまったのか。初校ゲラが返ってくるのを戦々恐々として待った。しかし、真っ赤な、あるいは編集者、校閲者の鉛筆書きだらけの初校ゲラが返ってきたわけではなかった。その初校ゲラに私自身が改めて手を入れた個所も通常程度のものだった。だから、今回のことはどう考えても編集者の過剰反応としか思えない。その過剰反応のわけがしばらく経って、これまた風の便りに明らかになる。

担当編集者には私が下訳を使ったことが赦せなかったのだ。この編集者が下訳を認めない人だということは私も知っていた。しかし、この作品に関しては依頼が急で、しかも私はピンチヒッターだった。当時、デミルは故上田公子氏が訳しておられたのだが、デミル作品の原著は次作がすでに出ており、上田さんはそっちをさきに訳さねばならず、本作が浮いた恰好になって、私に白羽の矢が立ったのである。当然、こちらとしてもスケジュールをやりくりしなければならない。それでも、下訳を使えばできなくはないだろうと判断し、そのことを断わって、それでもよければ、という形で引き受けた仕事だった。だから、身も蓋もなく言っちゃうと、こっちはひとつ「恩を売った」ぐらいの気持ちでいたのだ。

結局のところ、この編集者はそのことを忘れていたのだった。下訳を使うという話はしましたよね、と後日ご本人に確かめると、え？　そうでしたっけ？　と返された。さすがにこのときはむっとした。

いずれにしろ、こんなことがあってはこの編集者からはもう二度と仕事はもらえないだろう、とは思った（実際、そうなった）。それはそれでしかたがないという気がしたが、この「事件」はそれだけではすまなかった。

しばらく経って、こんな噂が聞こえてきたのだ――「田口は来た仕事を右から左に翻訳学校の生徒に訳させ、それにちょこっと手を入れるだけで、翻訳を粗製乱造している」。出所は定かではないが、こんな噂を少なくとも複数回聞かされると、心中おだやかでなくなる。また、とことん私事ながら、この頃、私はちょうど今住んでいる拙宅を建てたばかりで、けっこうな額のローンを抱えていた。こういう悪い噂が広まり、ほかの版元からも仕事が来なくなると、ローンが返せなくなるのではないか、小心者の私はそんなことまで考えた。

事実無根の噂である。下訳を使うことはあっても「ちょこっと手を入れるだけで」仕上げたことなど一度もない。しかし、そういう噂が業界内にどんどん広まっていくイメージに、落ち込んだ。そんなとき、そもそも私を翻訳界の住人にしてくれた大恩人、染田屋茂（結果的に、編集者↓翻訳者↓編集者というキャリアをたどる名物業界人）から言われたひとことで私は大いに救われた。

批判にも中傷にもやっかみにも耐えてこその表現者ではないのか。

言われてみれば当然のことばだ。が、何かで会ったときに本人から直接そう言われ、なんだかいっぺんに気が楽になったのだ。と言っても、そのとおりだ、耐えていかなければならない、と思ったのではない。何をおれは勘ちがいしていたのだろう、「ちょこっと手を入れ」ようが、いっぱい手を入れようが、要は翻訳の出来の問題だろうが。そう思ったのだ。これまたあたりまえのことながら、そのときの私にはまさに眼から鱗だった。

ちょっと脱線するが、私には人に言われて急に楽になったり、なぜか心にしみたことばがあとふたつある。ふたつとも言われたらむしろ逆に落ち込んでもいいようなことばなのだが。ひとつは同業者の田村義進に言われたことばだ――「おまえはケツの穴がちっちゃい！」。まだ駆け出しの頃のことで、当時、私は仕事をもらうために編集者に気に入られることをものすごく気にしていた。なのに、ある編集者の心証を害してしまったようなことがあり、そのことを気に病んできっとぐちぐちこぼしたのだろう。そのとき言われたわけだ、「おまえはケツの穴がちっちゃい！」と。実に変なのだが、このときは、そうだよな、そのとおりだよな、と妙に腑に落ちて、そのあとはその編集者の心証がさほど気にならなくなったのである。

もうひとつは大先輩、故小鷹信光さんに言われたことばで、「たまには真面目に仕事をするのも悪くないでしょ？」だ。これは十年ほどまえのことだが、レイモンド・チャンドラーの短篇を訳したときのこと、〝ハードボイルドの日本の父〟小鷹さんからいろいろアドヴァイスを受ける中、電話でそう言われたのだ。当時、私はかなり忙しくしており、依頼される仕事の大半を下訳に頼るようになっていた。そう、さきに書いた噂が事実無根でなくなったのだ！　というわけではないが。いずれにしろ、小鷹さんのことばはそんな私の仕事の状況を見越しての戒めのことばだった。受け取りようによっては、揶揄されたと思ってもおかしくないところだ。それがなぜか嬉しかったのだ。それこそ涙が出るほど。当時、私もすでにヴェテランと呼ばれる年まわりになっており、人からあれこれ諭される機会が少なくなっていたせいもあるだろう。が、それよりなによりそれは親身のことばだった。迷いなく、私にはそう思えることばだった。（この件については第一八回で詳しく触れます。）

本書に戻ると、ほぼ二十年ぶりに読み返してみて、翻訳自体についてはこれといって気になった個所はなかった。強いて言えば、「気ちがい」という日本語だろうか。この頃までまだ使っていたことがちょっと意外だ。このことば、版元によってばらつきはあるが、今では差別につながりそうなことばという扱いで、避けるのが普通だ。私自身、自ら避けたいと思うことばのひとつだ。で、またひとつ、昔話をば。

今を去ること、四十四年まえ、私は「木馬座」という児童劇団にいて、そこでマーク・トウェインの「こじき王子」の脚色をしたことがある（「こじき」も現在は版元によってはNGかも）。その芝居の中に「気ちがい僧の庵」という場面があった。ヘンリー八世の弾圧で、精神に異常をきたしたカソリックの神父がひとり侘びしく住んでいる山小屋の場面。春の初演はこれでこのままやった。ところが、夏になって、思いがけない事態が起こる。この芝居の演出をしたのが、昔のTVドラマ『私は貝になりたい』の演出で知られる岡本愛彦監督だったのだが、この先生のほうから「気ちがい」ということばをいっさいこの芝居から取り除きたいという申し出があったのだ。

先生ご自身、最初は気づかなかったそうだ。が、あとから〝進歩的な〟精神科医の先生方から「気ちがいというのは差別を助長することば」という指摘を受け、説明を聞いて自分ももっともだと納得したので、ぜひともなくしたいということだった。ただ、ひとつ難題があった。

木馬座の芝居はいわゆるあてぶりというやつで、台詞も効果音も最初に録音し、実際の舞台ではぬいぐるみを身につけた演者が、それぞれの台詞や音響に合わせて動きをつけるのである。だから、台詞を変えるとなると、改めて録音し直さなければならない。つまるところよけいなお金がかかる。

ということで、該当個所がただ削除されることになったのだが、これまたひとつ大きな問題が残った。王子とすり替わるこじきのトムの父親がこのカソリック僧と話をしている途中で、相手の頭のおかしなことに気づき、「こいつは気ちがいだあ！」と言って、慌てて逃げ去って退場、暗転、というシークエンスがあるのだが、ただ削除しただけだと、その個所は「こいつは……だあ！」になってしまう。見ている幼児には——いや、幼児ならずとも——なんのことだかわからない。

まだ若かった私は大先生とやり合った。大先生は世間からは左翼と見られていた。だからそういった政治的な立場もあっての発言なのでは？　と勘繰ってしまい、反論のことばがきつくなった。すると、先生は最後におっしゃった、だったら私は降りる、と。

もちろん、こっちに勝ち目はなく、これ以降の秋公演は泣く泣く「こいつは……だあ！」で行くことになった。最初の稽古の頃、先生は台詞の間《ま》のほんの一秒の狂いにも声優さんに注文をつけておられた。台詞と効果音が重なる部分も自分のイメージどおりになるまで、オペレーターに何度も何度もテープの編集を繰り返させた。先生のそんな姿を見て、私はプロとはこうしたものかといたく感じ入ったものだ。そんな先生の手のひら返し。

まだ若かった私の二十四歳の夏はちょっぴりほろ苦かった。

第二回　フィリップ・マーゴリン『黒い薔薇』の巻

早川書房／一九九四年

YOUに〝こだわる〟

本書の文庫版の帯には「徹夜覚悟の傑作サスペンス」とあるが、このコピーに嘘はない。私自身、原著を初めて読んだとき、話の先が早く知りたくて知りたくて途中でやめられず、読みおえたら夜が白々と明けていた。

のっけから話が逸れるが、原著に夢中になって徹夜をしたのはたぶんこの一冊だけだと思う。理由は簡単。こういう商売をしているわりには私、さして読書家ではないからだ。それともうひとつは、商売にさしつかえるので、あまりおおっぴらには言いたくないことだが、英語が日本語のようにすらすらとは読めないからだ。そりゃ翻訳を始めた頃と今の英語の読解力を比べれば、今のほうが断然上だとは思うけれど、まことに残念ながら、駆け出し当初に自分の将来を思い描いたほどには上達しなかった。母国語とまったく同じとまではいかなくても、それに近いスピードで読めるようになれるんじゃないか。それぐらい思っていたのだが、甘かった。実際、四十年以上、ほぼ毎日英語を読んできたわけである。そのことを思うと、もうちょっとどうにかならなかったかとよく思う。私が講師をしている〈フェロー・アカデミー〉の生徒の中には原著を苦もなく読む人が時々いる。実のところ、そういう人たちを私はひそかに羨ましく思っている。

ただ、まわりを見まわすと、あくまで印象ながら、だいたい私と似たり寄ったりの実力の同業者が多いような気がする。そんな中で、早世したジム・トンプスン訳者の三川基好はダントツでよく読めた。そのことについてはこんな逸話がある。興味を持ってもらえれば訳してほしいということで、ある編集者がハードカヴァーで四百ページ近い原著を金曜日に三川に送った。すると、その本が翌週の月曜日には送り返されてきた。まったく好みに合わないタイプの作品を送られた三川が気分を害して、そのまま送り返してきた。そう思って、編集者は青くなった。で、恐る恐る宅配便の封を開けると、「すごく面白いのでぜひやらせてください」というメモがはいっていた。

三川は当時、翻訳を始めたばかりで、そういうときには本を返さなくてもいいことを知らなかったのである。しかし、土曜日に配達されたものを日曜日に送り返しているのだから、読めたのは実質一日半ぐらいのものだろう。件の編集者から直接聞いたこの話を思い出すたび、私は畏友三川基好を今でも単純に尊敬する。

閑話休題。

本書は九〇年代に流行ったサイコもの、連続殺人もののひとつで、あちらでは『『羊たちの沈黙』をディズニー映画にしてしまうサイコスリラー」などと評された作品だ。実際、とんでもない殺人鬼が出てくる。が、読みどころはそれだけではない。リーガルものでもあって、主人公はそのとんでもない殺人鬼の弁護を引き受ける女性弁護士ベッツィ・タネンバウム。夫とは別居中で、六歳の娘を抱えるキャリアウーマン、ベッツィの日々の様子が無理なくリアルに描かれるところも実にいい。フェミニストならずとも、仕事と子育ての両立に奮闘する彼女を応援したくなる。しかし、なんといっても一番の読みどころは魅力的な謎だろう。最後に謎を明かされても、な〜んだ、とか、だから？とか思わせられるミステリーもないではないが、訳者として自信を持って請け合いたい。この謎には絶対にみなさん、そうか、そういうことだったのか！　と膝を叩いて納得されるはずである。

残念なことにとっくの昔に絶版になっているけれど、例によってアマゾンのマーケットプレースで一円で買える。拙訳中イチオシの面白本。ぜひご一読を！

翻訳に関しては、まずお恥ずかしいのがtax return。「税金の還付金」なんぞと訳している。見た目ですぐにわかった気になってしまったのだろう。真面目に辞書を引きさえすれば防げた誤訳だ。「納税申告書」「確定申告書」のことですね、はい。

クワンティコ。この地名はさきに引いた「羊たちの沈黙」で一気に日本でも名が知れ渡ったのではないかと思うが、本書の私の訳注はいかにも間が抜けている――「ワシントンＤＣの南西30キロほどのところにある町」。だからなんなの？　だよね。ＦＢＩアカデミーおよび司法研究機関の所在地である。

木挽き台。工事現場で見かけたり、警察が通行規制で道路に置いたりする脚立のような恰好をしたあれだ。英語はsawhorse。そもそもはのこぎり（saw）で切る板などを立て掛けたりのせたりするのに使うものだが、形状からそれ以外のものもそう呼ぶようになったのだろう。用途からすると「木挽き台」という訳は変なのだけれど、ほかにことばを知らず、ずっと使っていた。それがつい最近、そのまま「ソーホース」でいいのではないかと編集者に指摘された。で、ネットを見ると、けっこうヒットする。ただ、実際にどれだけの人が「ソーホース」なることばを知っているかとなると疑問が残る。「木挽き台」よりはよさげな気はするが。俗っぽい呼び名で「うま」というのもあるが、これもどれだけの人が知っているか。なんとも悩ましいが、翻訳の世界にはこういうことばがどうしてもぽつぽつと散在するものである。

ドレス。今でも翻訳本でわりと見かけるが、女性の服装で、〝dress〟とあってもそのまま「ドレス」とやるのは考えものだ。本書ではニューヨークからオレゴン州ポートランドまで旅してきたばかりで、まだ宿も決まっていない女性の描写に使われているのだが——her dress was severe, her eyes were cold——私の訳文は「地味なドレスに冷徹な眼差し」だ。しかし、よほどお洒落な女性でも旅をするときに普通ドレスは着ないだろう。ここは単に「地味な服装」が適切だった。ついでながら、〝dress〟が特に説明もないまま「ワンピース」を意味して使われることもよくある。

「先生は普通の人間がやる以上のことをなさった」——〝...you did more than usual.〟——私立探偵が調査に向かった先で、医者に向かって言う台詞である。ちょっと自分で意外だったのが二人称 you に「先生」という訳語をあてているところだ。今ならまずまちがいなく「あなた」としているはずである。

人称には英語と日本語でちがいがある。そんなことは今さら言うまでもないが、一人称、二人称、三人称の中で一番厄介なのが二人称だ。よく話題になるのは一人称で、「私」か「わたし」か「あたし」か「おれ」か「ぼく」か、で迷うことはもちろん私にもある。が、いつももっと迷うのが二人称だ。というのも、日本語では親しい間柄でないかぎり、「おまえ」も「きみ」も「あんた」も「あなた」もあまり使われることがないからだ。通常、二人称ではなく、三人称が代用される。会社員が上司に向かって「あなたもゴルフをなさるんですか?」とは普通言わない。「あなた」のかわりに「課長」とか「部長」などといった役職名を使う。私も雀荘でお茶とか出してくれる女性（かぎりなくお婆さんに近いおばさんたち）に向かって使うのは「お姉さん」。言うたび、なんだかわけもなく恥ずかしく、これでいいのかと妙に自問したくなるのだけれど。あとはたとえば行きつけの近所の床屋さん。調髪してもらいながらの世間話で、床屋さんを指すのに「マスターは〜」なんて言っている。果たして「理髪師」を「マスター」と呼んでいいのかどうか、これまた言うたび自分でも首をひねりながら。

そういう場合もあるにしろ、要はより適切な妥当な三人称を探せばいいだけのことだ。

別に厄介なことではないではないか。と考えられればいいのだが、そこのところが、そう、厄介なのだ。英語をただ適切な妥当な日本語に置き換えることだけが翻訳ではないと思うからである。

このあたりの説明はちとむずかしい。また、本書の翻訳では「先生」という三人称を二人称のかわりに使っているところを見ると、これは私自身、本書を訳した頃には今のようには考えていなかったことになる。

「先生」ではなくてどうして「あなた」なのか。ひとつ考えられるのは、第七回に書いた「和臭」がつくのを避けたい気持ちが私にはあるからかもしれない。「和臭」を避けるというのは、訳文があまりに日本的、あるいは日本語的になるのを避けるということだが、今はあんまり流行らない。私自身、この「和臭」嫌いは駆け出しの頃のほうが強かった。その後、世の翻訳界の流れに竿さし、身過ぎ世過ぎをする中でだいぶ弱まった。だからそれではないと思う。

「和臭」フォービアとは直接関係がないとすると、もうひとつ考えられるのは、自分で言うのは大変大変おこがましいのだが――それに最初に書いたとおり、私の英語力は大したことがないのだが――それでも長らく翻訳をやってきて、英語への親密度、密着度が深まったからではないか、ということだ。原文にyouとある以上、できれば、あるいは、できるだけ、そのまま訳したい。日本語の「課長」にも「部長」にも「お姉さん」にも「マスター」にも、そして本書の「先生」にも、どのことばにも相手に対するなんらかの忖度がある。しかし、英語のyouそれ自体にはそんなものはない。つまり、そういったyouを日本語らしい表現の三人称に置き換えると、どうしても原文にないよけいな意味がつけ加わってしまうことになる。「和臭」がつくということとはまた異なる意味でそうなる。理屈っぽいことを言うようだが。

一方、YAや児童書の翻訳では、二人称を三人称に変えて訳すのがむしろ普通のようだ。私にはなじみのないジャンルで、初めて「トムもぼくんちに来る?」といった訳文を読んで、「トム」が眼のまえの相手を指していることがすぐにはわからず、戸惑ったこともあるけれども、YAや児童書でのこうした事情は理解できる。幼い、若い読者(層)に違和感を与えない訳文をまず考えるのは当然のことだろう。

話がまたちょっと逸れるが、私の場合、この二人称と同じようなことが敬語についても言える。英語にももちろん敬語はあるけれど、日本語のように敬語だらけではない。だから、私には適切な妥当な訳語として敬語を使うのにいささかのためらいがある。敬語を使えば、より自然な訳文になり、登場人物の人間関係も簡単に説明できるようなときでさえ、だ。理由は二人称の場合と同じ。原文ではそもそも敬語を使っていなくても、より自然な日本語にするために敬語を使うと、そこに原文にない意味が加わってしまうからである。そのことがどうにも気になるのだ。

と、ここまで書いて読み返すと、なんだかロートル訳者が細かいことにこだわって、めんどうくさいことを言っているだけのような気もしてきた。こだわりなどというものは、ないに越したことはないと常々思っているのに。翻訳は自由だと思いつつ自分から不自由なものにしてしまっている。それに、そもそも細かなこともゆるがせにしない〝こだわり〟の翻訳者と、誤訳もわりと多い大ざっぱな翻訳者がいるとしたら、私は断然後者だ。なのに、なんだか〝こだわり〟があるかのような物言いになっている。これはまったくもって不本意なことだ。それでも、あえて、強いて、臆面もなく、とことん思いきって言ってしまうと、この〝こだわり〟ごときが、大した読解力も身につかないまま、それでも私が長らくこの仕事を続けてこられたひとつ大きな要因になってはいないだろうか、などと思っている自分もいる。

いやはやなんとも。最後は矛盾だらけで、おまけに手前味噌な話にもなってしまった。それでも、もう一度あえて言おう。言いたかったことは言えた気がする。読まれていくらかでも伝わり、響くところがあったら嬉しい。そういう読者がおひとりでも多くおられることを願いつつ。

本書もまた時系列が前後してしまったが、ネットを見ると、本書が出たこの年、世界に眼を向けるとルワンダで集団虐殺が起きている。ほかにはメジャーリーガーのストライキ、F1レーサー、アイルトン・セナの事故死など。国内ではビートたけしのバイク事故、大江健三郎のノーベル賞受賞、ボクシング好きの私としては薬師寺保栄と辰吉丈一郎の世界統一戦もはずせない。あと、テレビ番組「開運！なんでも鑑定団」が始まったのがこの年だ。毎週必ず見ている身としては個人的に文句はないが、こんなことがウィキの年表に出ていたことにはちょっと驚いた。

第一二回　ジョン・ル・カレ『パナマの仕立屋』の巻

集英社／一九九九年

またしても翻訳人生の危機！

本書の舞台はパナマ。主人公は首都パナマ・シティで〈ペンデル&ブレイスウェイト〉という仕立屋を営むハリー・ペンデル。そのペンデルには秘密がある。というか、自分から秘密をつくっている。でっち上げた履歴を自分から客に吹聴しているのだ。ブレイスウェイトというのは、今は亡き仕立ての師匠で、そのブレイスウェイトの弟子となり、ロンドンで修業をしたことになっているのだが、ブレイスウェイトなどという人物はそもそも実在しない。前科を隠し、さらに仕立屋として箔をつけるために、そんな嘘をついているのだ。その嘘がひとりの客によって暴かれる。

オスナードというその客の正体はイギリスのスパイ。パナマ大統領のスーツの仕立てを請け負い、政府関係者の知人も多いペンデルを情報屋にしようと、接近してきたのだ。当時、パナマは運河の管理がアメリカからパナマ政府へ移譲される大きな節目を迎えており、それには大きな利権がからむ。そのためイギリスもスパイを送り込んできたわけだが、このペンデルという男には、経歴詐称からもわかるとおり、虚言癖があった。それに加えて、オスナードに気に入られたいという思いも働き、いつしか彼は根も葉もない情報をでっち上げるようになる。その偽情報がオスナードにそのまま信じられ、それがどんどんふくらみ、取り返しがつかなくなるほど大きくなり、最後にはとんでもない悲喜劇が生まれる。まさに瓢箪から駒というお話で、いかにもイギリスらしいブラックユーモア満載の傑作スパイスリラーだ。ジョン・ブアマン監督、ピアース・ブロスナン主演で映画にもなった(邦題は本書の原題でもある『テイラー・オブ・パナマ』)。

本書を訳した頃、私は天狗になっていたとは思わないが、振り返ってみると、少なくとも自信過剰にはなっていた。どんな作家でもどんな作品でも自分なりに満足のいく翻訳がちゃちゃっとできる。まあ、そんな自信だ。それが本書を読むなりあっけなく崩壊した。一読しただけでは理解できないところだらけだったのだ。白状すると、話の結末さえよくわからなかった。

ル・カレ作品はそれまで長らく故村上博基訳で早川書房から上梓されていた。それが本書で集英社に変わったのだが、あとから編集者に話を聞くと、やはり集英社も最初は村上氏に翻訳を依頼したそうだ。が、断わられた。また聞きになるが、そのとき村上氏は、自分にはもうル・カレを訳す体力がないと言われたそうだ。

ことほどさようにル・カレ作品が難物であることは初めからわかっていた。実際、ル・カレの代表作とされる、いわゆるスマイリー三部作は翻訳を読んでもよくわからなかった。だから本書の原著を一読後、さらに白状すると、一度は断わろうかと思った。すみません、私には無理です、体力的にというよりそもそも能力的に、と正直に明かして。一方、私のささやかな翻訳者魂も疼いた。ル・カレのような大作家を訳せるチャンスなどというのはそうそう舞い込むものではない。それにピンチヒッターながら、一番手に指名してくれた集英社の編集者の期待にも応えたい。そんな気持ちもあった。で、えいやと引き受けたのだった。

予想をはるかに超える難行だった、と言えれば、ま、話として平仄が合うのだが、実のところ、翻訳に苦労したことは記憶から飛んでしまっている。今、原著を引っぱり出して見てみると、付箋を貼った個所が数十個所もあり、あちこちに鉛筆書きのメモもある。それらをざっと見ただけでも翻訳に苦労したことは容易に知れる。なのに、記憶が飛んでいるのにはわけがある。そうした苦労の果てのちょっとした出来事の記憶のほうがはるかに鮮明だからだ。

恥を言わねば理《ことわり》は聞こえず、なんてことわざもあるので、今回もまた失敗談をば。

へろへろになりながらも、なんとか最後まで訳しおえたときには、気分がむちゃくちゃ高揚していた。その勢いのまま、私は著者に問い合わせてくれるよう、疑問点をすべて書き出したメールの転送を編集者に頼んだ。ついでに、よせばいいのに、あなたのすばらしい作品を訳せて光栄だとかなんとか、昂る思いも包み隠さず素直に書き添えた。

英日の翻訳のプロという自負は当時からもちろんあった。が、日英の翻訳となると、とんと自信がなかった（それは今も変わらない）。だから、メールであちらの作家とのやりとりをするときには、送信するまえに、当時翻訳の疑問点に関していつも教えを乞うていたイギリス人の翻訳家に眼を通してもらうことにしていた。ところが、このときには間《ま》の悪いことに、そのイギリス人とすぐには連絡が取れなかった。確かインドかどこかを旅行中だったのだと思う。しかし、別に一日を争うことでもなんでもない。だからそのイギリス人が帰ってくるまで待てばよかったのだ。なのに、私は訳了直後の興奮も冷めやらぬままメールを出してしまった。

仲介の労を取ってくれた版元も日本のエージェントも、ま、とりあえず一流（自称です）翻訳家の書いた英文ということでチェックをしなかったらしい。その結果、私の拙い英文がそのままル・カレ大先生の眼に触れ、さらには逆鱗にも触れることになったのだ。

私が編集者から聞かされたのは、私のメールに大先生がなんだか機嫌を損ねられた、ということだったが、想像するに、こんな子供が書いたみたいな下手くそな英文しか書けないやつに翻訳を任せていいのか！　とル・カレ先生は思われたのだろう。ちょっと気むずかしい人だということは知っていたのだが、さて、どうしたものか。

編集者、エージェント、私の三人でダメージコントロール会議と相成った。私としてはまさに穴があったらはいりたい思いで、ひたすら小さくなっていた。私の書いた拙い英文そのものはもう手元に残っていないが、ひとつ今でも覚えている文字どおりの拙文がある。「あなたの英語を訳すのはとてもむずかしい」という一文。もちろん、むずかしいけれど、実に訳し甲斐があるすばらしい文章だ、みたいな文がそのあとに続くのだが、英単語を思いつくまま、it is hard to translate your prose... みたいな文を私は書いた。こういう場合、hardという単語はあまりいい意味には伝わらない。マイナスのイメージが強い。これはあとからイギリス人の翻訳家に教わって、なるほどと思ったのだが、こういうときにはhardではなく、challengingだ。言われてみると、なるほどと思うけれど、こういうことばが私のような日英翻訳劣等生にはすんなりと出てこない。

もうひとつ覚えているのは、エージェントの方の対応の手ぎわのよさだ。ル・カレ御大宛てに私の代わりに詫びと弁解の手紙を書いてくださったのだが、いやあ、感心しました。餅は餅屋とはいうものの、こういう人をエージェントのプロというんだろうな、なんて思ったものだ。そう言えば、こういう手紙は直筆がいいと提案され、言われるままに英文を手書きしたのも覚えている。そのときquestionnaire（質問表）のスペルのnをひとつ落としてしまい、エージェントの方にあとから指摘されて訂正した、などという恥ずかしい記憶も残っている。もう忘れたいのに。

翻訳については、付箋をつけたところから三つばかり拾ってみよう。

まずはServes us right for living on a hill. ペンデルの家は高台に建っていて水道の水の出が悪いことがある。これはそのことを嘆いたペンデルの台詞。付箋にはGood or bad? とメモしてある。嘆いているのに「ちゃんと役に立っている」とはどういう意味なのか、とでも思ったのだろう。さすがにこの疑問はイギリス人翻訳家に訊いただけで、ル・カレ先生のところまでは行っていないと思うが、そう思いたいが、こんなことを訊かれては、こんな翻訳者で大丈夫か、とル・カレ先生ならずとも思うだろう。これは「当然の報いを受ける」という意味ですね。It serves you right. だと「ざまあみろ」みたいな意味にもなる。本書の拙訳は「これは丘の上に住まいを選んだ天罰だな」。しかし、付箋をつけているということは、このときにはこんな辞書にもちゃんと出ている言いまわしすら知らなかったわけだ。にもかかわらず、自信過剰だったとは！　いやはやなんとも。

If this Osnard thinks he can write Mickey off, then he's got another think coming, hasn't he? ペンデルがオスナードのまえでひそかに考えるシーン。ミッキーというのはペンデルの親友で、ペンデルはミッキーのことをオスナードによく思わせたい。英語のよく読める人ならさほどむずかしい個所ではないかもしれない。私も、ま、今ならさほど悩まずに訳せる。しかし、ここにも付箋があり、write off については not pay attention と dismiss と書いてあるところを見ると、イギリス人翻訳家に訊いて、そういう返事が返ってきたのだろう。もう一回言いますね。こんなこともわからず自信過剰になっていたとは！　本書の拙訳は「このオスナードという男がミッキーなど取るに足りない存在だと思っていたとしても、その考えを改めるのではないだろうか？」

The President wishes a special pocket inside the left breast of all his suits, to be added in total confidence. I'm to get the length of barrel from Marco.

ペンデルがオスナードに大統領に関する情報を伝えている場面で、マルコは大統領の秘書官。これもわからなかったのかと思うと、まさに忸怩たる思い。むずかしい英語ではない。大統領は誰にもわからないよう、秘密のポケットを自分のすべてのスーツの左胸につくることを望んでいる。それだけのことだ。なのに、何か比喩的なことを言っているのだろうかと勘ちがいして、なんのことかわからなかったのだろう。わかってみればなんてことはない。人間の左胸にあるものと言えば心臓。そう、防弾ポケットをこっそりつくってくれということで、大きさは追ってマルコから指示されるということなのでした。

本書を訳したのは翻訳を始めてちょうど二十年ほど経った頃のことで、おそらく翻訳という仕事に対する〝狎《な》れ〟が根拠のない自信、さらには自信過剰につながったのだろう。どんな仕事もそうだろうが、慣れるのはいい。しかし、狎れてはいけない。狎れると、仕事に対するリスペクトも緊張感もどうしても薄れてしまう。そうなっては決していい仕事はできない。あまつさえ、仕事に飽きが来るのも眼に見えている。

そう思うと、いいときにル・カレさんに出会えたのだろう。自信過剰なんて、おまえ、頭がどうかしてるんじゃないか、という翻訳の神さまのありがたいお告げが聞けたのだから。本書で私は自分の実力のほどを思い知った。が、心配性の神さまはひとことでは足りないと思ったらしい。ときを措かず、さらに難物が舞い込む。

次回を予告する。ボストン・テランの『神は銃弾』だ！

第一三回　ボストン・テラン『神は銃弾』の巻

文藝春秋／二〇〇一年

難物中の難物に悪戦苦闘（1）

ほぼ二十年ぶりに読み返してみた。やはり名作だった。拙訳であれなんであれ、私は同じ本を二度三度と読むことがあまりなく、読んでもたいてい二杯目のビールみたいになっちまっていて、〝旨さ〟がどうしても減じてしまうのだけれど、この本はちがった。再読、巻措く能わず、同じ興奮と感動を覚えた。

ただ、本書は読者を選ぶ作品ではあるだろう。まず暴力シーンの描写がすさまじい。だからそういうのは苦手という人には避けられてしまうかもしれない。それに卑語の連発。加えて、ＭＷＡ（アメリカ探偵作家クラブ）の処女長篇賞を受賞した作品だから、ミステリーというくくりの中に入れてさしさわりはないはずだが、味わいはかなり〝ブンガク〟に近い。でもって、そのブンガク的表現が実に独特なのだ。たとえば——

——彼女の腕には走行距離計が刻まれ、すでに相当遠くまで旅をしていることが一目でわかる。

（麻薬の注射痕の描写）

——その声には不本意なポジションを与えられたプレイヤーの冷めた調子が交ざっている。

——ボブは、人をふたつに引き裂く怒りと安堵の意地悪な双子とともに、感情のびっくりハウスの中を疾走している。

——彼女は、拘束衣の皮膚をまとった、管状の肉塊にでもなったかのような気分で言う。

——空を見上げると、満月が空の静脈伝いにパートナーの地球に白い血を送ってきている。

ね、独特でしょ？　以上、ほぼ直訳である。こういう文体を青臭い大げさな表現と断ずる人もいるだろう。しかし、私はハマった。ハマりまくった。前回予告したとおり、難物中の難物で、一読しただけではわからないところだらけだったのに、何か得体の知れないグルーヴ感のようなものだけは感じ取れて、のっけから本書の虚構空間にぐいと引き込まれた。物語は、老婆の死体をトレーラーハウスに発見した十二歳の少年が公衆電話で警察に通報するところから始まるのだが、そのそばには少年が乗っていた自転車が無造作に倒されている。まわりは砂漠で、その自転車の描写がこれだ——「まだ回転している車輪のスポークの合間に風が砂を投げ込んでいる」(The wind weaves sand through the still-spinning tire spokes.)

どうということはない描写だ。ことさら「独特」でもない。今改めて読み直して、weaves through がうまく訳せていないことに気づいてしまったけれど、それはともかく、なぜか私はこの一文に強く惹かれた。今でもこの作品のことを思ってまず思い出すのはこの一文だ。小説や映画では本すじとは関係ないのに、妙に印象に残るシーンというのがあるものだが、私にとってこれはそういう類いのベストワンと言っていい。その理由についてはうまく説明できないのだが、どうということはないこの小さな自然の営みが私にはすこぶる素敵にも詩的にも思えた。いや、今もそう思う。それだけは言える。

では、どんな小説なのか。読み返すと、ちょっと恥ずかしくなるくらい訳了後の興奮冷めやらぬままに書いたあとがきながら、引かせてもらう。

物語はいたって単純だ。カルト集団に先妻を惨殺され、(十四歳の)一人娘を(カルト集団に)誘拐された警察官(ボブ・ハイタワー)が更生した(女性の)麻薬常習者(ケイス・ハーディン)の協力を得て、一人娘を取り戻すためカリフォルニアの荒野を転々とする。くたびれた中年警察官と元ジャンキーというミスマッチ・ペアが、当初はいがみ合いながらも少しずつ心をかよわせていき、最後には力を合わせてカルトの教祖(サイラス)と対決する。こんなふうにあらすじを語ると、ただそれだけの話、むしろありがちな話、と思う読者もおられるかもしれない。しかし、本書を読んで、ただそれだけの話、ありがちな話と思う読者はひとりもいまい。とにもかくにも読ませられる。いや、そういう言い方すらもどかしい。本書を読む読者は誰もみな小説という異空間の只中に否応なしに引きずり込まれ、その異空間固有の波動に身も心も乱暴なまでに揺さぶられる、とでも言えばいいだろうか。それほどの力がある。そして、その力の源に作者の怒りがある。

腐敗と愚直が同居し、機能不全に陥っている警察組織、クリスチャン・モラルはただの看板で、実は偽善に満ちた白い中産階級、金になるのぞき見を報道の自由と唱えて自ら省みるところのないマスメディアなどなど、怒りをぶつける相手には事欠かず、エンターテインメントの枠からはみ出しそうなほどこの作者の怒りは烈しい。が、その一方で、サイラスという邪悪と倒錯の王の人物像と、ケイスとボブの関係（中略）だけはむしろやさしく、きわめて繊細に描かれ、本書の結末にはとびきりのカタルシスが用意されている。《（　）内は本稿にて加筆。》

ね、興奮してるでしょ？　しかし、そんなことよりなにより、この元ジャンキーのヒロイン、ケイス・ハーディンがカッコいいったらないのだ！　カルトの親分サイラスを追うボブとケイスは、最初のうちはぶつかり合ってばかりいて、ケイスはこんなことを言う。下半身に関する台詞でナンだが、〝特技〟を駆使して、ある男から必要な情報を引き出したあと、彼女の〝特技〟を非難するキリスト教的優等生のボブに向かって言う台詞だ——「いつもびっくりするんだけど、こっちから喜んでちんぽこを舐め舐めしてやると、男って、どうしてこうもなんでも話すんだろうね。それだけでも人生なんてあんまり意味のないものだということがよくわかる。人間って多かれ少なかれみんなジャンキーなんじゃないかってあたしは思う」

ふたりのこんなやりとりもある──「おれたちは心をひとつにしなきゃいけない。このことをやり遂げようと思ったら。だろ？」「心がひとつになるなんて、あたしには自分の心だけでもめったにないことだよ」

そんなケイスながら、ボブと心が徐々にかようようになると、こんなこともするのだ。夜、ふたりで追跡のための作戦を立てたあと、ボブがショットガンを肩に担いで、車の前方の闇の中を歩いていくシーン。ケイスは運転席にいる──「ボブの背中が雪のように暗がりに溶けていく。あとほんの数フィートにしろ彼を照らしたくて、ケイスはヘッドライトを上向きにする」──下品きわまりない台詞や嫌味を口にしたかと思うと、こんな可愛いこともするのである。ボブの一人娘同様、自らもまだ少女の頃にサイラスに誘拐され、性的虐待を受け、クスリ漬けにされながらも、自分の意志でクスリを断ち、命を賭してボブに協力し、邪悪と倒錯の王に復讐を果たそうとするケイス・ハーディン。私のオールタイム・ベスト・ヒロインだ。

繰り返すが、私にとって本書はまさに〝どストライク〟の名作だった。が、本書が思い出深いのはそのためだけではない。ご存知の方も多いと思うが、『このミステリーがすごい！』という本がある。毎年暮れに宝島社から刊行され、識者が選んだその年のベストテンが発表される。ベストテン本はほかにもあるが、本の売れ行きへの影響力が最もあるのはこの『このミス』だろうか。発刊は一九八八年で、ローレンス・ブロックのマット・スカダー・シリーズやマイクル・Z・リューインのパウダー・シリーズなど、拙訳もそれまで何冊かベストテンにはいったことはあった。が、ベストワンになったことはなかった。一九九三年度のブロックの『墓場への切符』が二位になったのが最高だった。それが二〇〇二年度、晴れてこの『神は銃弾』が一位の栄冠を手に入れたのである。

それだけでも思い出深い。が、実は二〇〇〇年度のベストワン、スティーヴン・ハンターの『極大射程』を訳したのが染田屋茂、二〇〇一年度のベストワン、ジム・トンプスンの『ポップ１２８０』を訳したのが故三川基好で、ともに私の高校の同級生なのだ。つまり、実質的に千年紀をまたいで（『極大射程』は一九九九年作品、『ポップ１２８０』は二〇〇〇年作品、『神は銃弾』は二〇〇一年作品）続けて高校の同級生翻訳者三人が栄光に輝いたわけで、身内の自慢話っぽく聞こえたら、それは本意ではないが、また偶然とはいえ、これってけっこうすごくない？

ただ、このときの心境をもう少し正直に書くと、染田屋は翻訳業から編集業に戻ったあとでの栄誉で、翌年の三川はそもそもこの男、私が翻訳界に呼び込んでやったのである。だからこのふたりが続けて栄冠を手にしたときには「先を越された」という思いがあった。フェロー・アカデミーの一番弟子、芹澤恵は一九九八年にR・D・ウィングフィールドの『フロスト日和』でとっくに手にしていたし。だから正直、この栄冠が嬉しかったのはもちろんだが、一位になってほっとしたのも覚えている。

思い出深いと言いつつ、これを書くまで忘れていたことを思い出した。本書が出た当時、私はギャンブルおやじ仲間と毎年一度ラスヴェガスのカジノ詣でをしていた。ヴェガスまでは普通はロスアンジェルスから飛行機で向かうのだが、本書が出た年には、いつも飛行機と宿の手配をしてくれていた、ナチュラル・ボーン・ツアコンみたいなギャンブルおやじが気を利かせてくれて、ロスアンジェルスからは車で向かい、バーストウという小さな市《まち》のモーテルに一泊して、そのあと本書の舞台になっているモハヴェ砂漠を抜けてヴェガスに行ったのだ。木も草もほとんど生えていない、砂と岩だらけの中西部の荒野を車で何時間も走るのは初めてのことで、誰が言ったのかは忘れたが、こんなことばを思い出した——ヨーロッパ人にとって恐怖は森にひそむ（狼や魔女）。日本人にとって恐怖は山にひそむ（天狗や山姥）。アメリカ人の恐怖は生活周辺の外には何もひそんでいないこと、何もないことに対する恐怖である、というのだが、こういうところに住んでいると、確かに、急に頭がおかしくなって妻と子供を散弾銃で撃ち殺したりする男が出てきても不思議はないよな、なんてことを思ったことも今思い出した。

さて、前回予告したとおり、本書は難物中の難物で、おそらくこれまで翻訳に一番苦労した作品だろう。では、それはどれほどのものだったのか。本書が出てしばらく経った頃、ある出版社のパーティに今は亡き大先輩、永井淳さんと同席したときのこと。永井さんの謦咳に触れるのはこのときが初めてだったのだが、永井さんのほうから私のところにやってこられて、「『神は銃弾』読みました。あれを訳しただけで尊敬します。私にはとても歯が立たなかった」と言われたのだ。

誤解なきよう。自慢したいのではない。実は、本書の翻訳は最初、版元から永井さんのところに話があったのだ。このことは文春の担当編集者、永嶋俊一郎さんから聞いていた。（永嶋さんも若かったんですね。普通、編集者はこういうことは当事者の翻訳者には言わないものだ。）さらにもうおひとりヴェテラン翻訳者にも頼んだそうだが、ふたりともから断わられたということだった。つまり、私は第三の翻訳者で、さきのおふたり同様、一読後の率直な感想は、これは私にも無理だ、だった。このことは翻訳中も何度も思った。情けないが、返上しよう、この辛苦から逃れられれば、文春からもう仕事がもらえなくてもかまわない！　とまで思ったほどだ。いや、ほんとうに。

では、どれほど難解な原文だったのか。ここで紙幅が尽きた。今回も予告する。次回は『神は銃弾』翻訳篇だ！

第一四回　ボストン・テラン『神は銃弾』の巻

難物中の難物に悪戦苦闘（2）

文藝春秋／二〇〇一年

さて、翻訳篇。

原文の意味はわかるんですが、どういう日本語にすればいいのかわからない。

時々、翻訳学習中の人からそういう声を耳にするが、処世術として言っておくと、そういうことはたとえ心の中で思っても、編集者には絶対に言わないほうがいい。あ、この人は翻訳に向かないんだと判断されるだけだろう。手前味噌になるが、私自身はそんなふうに思ったことは一度もない。意味がわかったら必ず訳せる。この四十年、ずっと思ってきた。もちろん、翻訳不可能といった原文はある。そんなものはいっぱいある。しかし、翻訳不可能と「どう訳していいかわからない」というのはまったくもって似て非なることだ。翻訳不可能とわかりつつも、どうにか訳を考え、それを形にする。それが翻訳という仕事である。翻訳者に課せられた使命である。

なんだかやけに力がはいってますね、私。これはきっとこのあと情けない翻訳始末記になるんで、ちょっと虚勢を張ったんだと思います、はい。

本作『神は銃弾』の翻訳のむずかしさは、「原文の意味はわかるんですが、どういう日本語にすれば……」なんて口にするのさえおこがましいレヴェルだった。そもそも何が書いてあるのかわからない個所が鬼のように次から次と出てくるのだ。で、当時懇意にしていたイギリス人の翻訳者に訊きまくり、それで解決したところも少なくなかったが、それでもどうしてもわからないところが二十個所ほど残り、それは著者本人に問い合わせた。

当時はまだファックスだった。版元とエージェント経由で問い合わせてもらい、著者直筆の答が返ってきたところまではよかったのだが、なんとこれがとんでもない悪筆で、私には読めない個所だらけだった。担当編集者の永嶋俊一郎さんがどうにか読み解き、清書してくれたのだが、今回原書を開いて、中にはさまれていたメモを見て、このことを思い出した。そのメモを見ながらいくつか拾ってみる。

まずひとつ。Process とは何かという質問には A cult of the times（その時代のカルト）という答が返ってきている。今、ググったらすぐ出てきた。「ロスアンジェルスを拠点に１９６６年から１９７４年まで活動していたカルト」だ。もうひとつ、Klaas Murder についても尋ねているが、これまたググると一発で出てきた。一九九三年にカリフォルニア州で起きた少女誘拐殺人事件。すっかり忘れていたが、本書を訳したのは個人的にはまだネット以前の時代だった。本書は難物中の難物だったとずっと思っていたが、もしかしたら今なら案外容易に通過できた難所もあったのかもしれない。

これもグーグルマップで一発でわかることながら、「Uxmal は旅行代理店だと思うが、発音を教えてください」なんて私、頼んでいる。答は Uxmal is a town. いったいどうして旅行代理店だなどと思ったのか、今ではもうまるで思い出せないが、テランさん、こんなことも知らない訳者なのかということで、きっとむっとしたんだろう。こっちの頼みには直接応じてくれていない。答はもちろん「ウシュマル」。メキシコのユカタン半島にあるけっこう有名な観光地で、日本語の情報もかなりある。いやあ、昔のこととはいえお恥ずかしい。

これはネットがあってもわからなかっただろう。She is night-skying. 今検索しても、night-skiing のまちがいではないかとグーグルさんに訊き返される。アメリカ語のスラングをよく拾ってくれているサイト Urban Dictionary にも出ていない。答は She is getting into xxxxx lifestyle--drugs/crime/. 要するに「麻薬と犯罪まみれのクソ生活にはいる」ということで、これはおそらく著者の造語だろう。

能力以上の作業を求められると、人は本来持っている能力すら発揮できなくなる、というのは心理学の実験でも実証されているそうで、たとえば、一度に七個の数字を覚えられる人でも、一度に十個の数字を見せられると五個も覚えられなくなる。たぶんそういうことだったのだろう。A couple of speakers blaring out some homeboy Spanish version of “The Weight”.「ふたりの男が“The Weight”のチンピラ風スペイン語ヴァージョンでがなり立て合っている」というのだが、この The Weight がわからなかった。ザ・バンドの有名な曲で、私も知っているどころか、好きな曲だったのに。Famous song by “THE BAND” というテランさんの答を見たときにはきっと愕然としたはずだ。これまたお恥ずかしいかぎり。

これも『ザ・ウェイト』と同じような例かもしれない。ヒロイン、ケイスが悪党に向かって言う台詞。ケイスはもうその悪党を殺す気満々でいる。You're fucking with the black rider. black rider は初出だ。それでも後知恵ながら、状況から想像できないことでもなかったような気がする。答は Case refers to "Death". そう、「おまえはもう死に神とファックしちまってるんだよ」だ。

今回久しぶりに質問リストを見直してちょっと意外だったのは、弁解めくが、ネットがあれば解決できていたであろう質問が予想をはるかに超えて多かったことだ。このことは今の私の仕事のありようを逆照射している。IT音痴のくせにネットのない翻訳など今は考えられない。ITの爆発的な革新によって仕事は便利になったが、楽になったかというと疑問符がつく、というのはさまざまな業種で言われることだが、翻訳にかぎって言えば、明らかに便利にも楽にもなった。家にいながらにしてたいていのことが調べられる今と、わからないことを目一杯溜め込んで、一日がかりの広尾の中央図書館詣でをした頃――本書を訳していた頃――ではまさに隔世の感がある。一方、楽になったぶん何かを失くしてしまったような気がしないでもない。ま、これは老翻訳者の贅沢な感傷かもしれないが。
翻訳文に関して言うと、本書の原著はほぼ現在形で書かれているのだが、長篇の現在形は初めての体験で、まだ慣れていなかったからだろう、ところどころ原文の現在形を訳文では過去形に変えている。ただ、まえにも書いたが、担当編集者の永嶋さんとのやりとりで、永嶋さんから何個所か「田口さん、ここは現在形でもいけるんじゃないですか？」と指摘され、その指摘どおりに直したのを覚えている。

今読み返すと、現在形でもいけたと思う個所がほかにも多々あり、長篇における文末の現在形、過去形は所詮「慣れ」の問題だと改めて思った。ついでながら、長篇小説の現在形は一度慣れてしまうと、訳すのが（たぶん小説を書くのも）楽になる。これはおそらく訳す（書く）まえから文体が決まってしまうようなところがあるからだろう。翻訳とは離れるが、小説家志望で、書くネタはあるのだけれど、文体でお悩みの方がおられたら一度試されることをお勧めする。

「流しに置いた携帯電話が鳴りだしたとき、ケイスはシャワーを浴びている。接続が悪く、鋭い刃で切り裂くようなボブの声がする」という訳文。原文はCase is in the shower when the cellular she left on the sink starts to ring. Bob's voice is like a bone blade cutting through the bad connection. 私はこういう訳文を下手な訳の例として授業でこれまで何度も挙げてきた。まず「〜するとき、〜する」という訳文はなんだか理に落ちていて、説明っぽい。これより「〜すると、〜する」のほうがよほどいい。これが私の訳ではなく、誰か生徒さんの訳なら絶対そう諭しているだろう。もうひとつ、翻訳とは基本的にコンテクストを訳す作業なのに、この訳文では主客が転倒してしまっている。電話が主でシャワーが従なのに、それがひっくり返ってしまっている。ここは「ケイスがシャワーを浴びていると、洗面台に置いた携帯電話が鳴る」としたほうがずっとスムーズに読める。そんなふうにも絶対言うはずだ。

そういうことを常々得々として言っている自分の訳とも思えない訳で、再読して正直驚いた。これまたさきほど書いた「能力以上の作業を求められると」の一例かもしれない。ただ一方、弁解がましく聞こえるのを承知で言うと、この訳文が全体の中で浮いているようにも思えないのだ。これは独特のブンガク的表現の多い文体の中では一見下手に見える訳文もOK、ということなのか？　いや、結論はまだ早い。ここではとりあえず、ちょっとずるい遁辞になるが、だから翻訳は一筋縄ではいかない、ということにしておく。

You're crossing over. 本書の登場人物が何度か口にする決め台詞だ。cross over は文字どおり「越える」だが、作中では、対決した相手に向かって「おまえはもう死んだも同然だ」みたいな意味で使われる。さきほどちょこっと触れたUrban Dictionary で今確かめたら、「人が死んで肉体を現世に残し、霊界に向かうこと」などという意味が載っていたが、本作でそうした意味で使われているとは思えない。相手を貶める台詞なのだから。たとえそういう意味だったとしても、このままでは決め台詞にならない。「越える」という意味を生かすなら、「おまえは三途の川を越えている」もありうるが、なんだかねえ。アメリカ人と三途の川はあまりしっくりこない。もっとも、仏教徒のリチャード・ギアさんなんかは、死んだら渡っちゃうのかもしれないけれど。いずれにしろ、私が思いついたのが、「おまえはもう終わってるんだよ」だ。はい、『北斗の拳』の「おまえはもう死んでいる」のパクリです。それでもこれがけっこう評判がよく、もともと素直な性格なので、大いに気をよくしたのを覚えている。

もうひとつ。私のオールタイムベストのヒロイン、ケイスの話しことば。女ことばと男ことばの垣根がほぼほぼ取っ払われたと言えそうなのが現在の話しことばの言語状況だが、本書を訳した頃はまだそれほどでもなかった。さらに書きことばは話しことばをあと追いするようなところがあり、さらにさらに、女ことば――「〜だわ」や「〜のよ」――がいまだに生きているのは翻訳小説の中だけ、などと言われるほど、翻訳小説、あるいは翻訳者はこの点に関してはおおむね保守的で、私もその部類だ。

それでも希代のニュー・ヒロイン、ケイスに「保守的な」女ことばは使わせたくなかった。で、「〜だわ」「〜のよ」はいっさい使わず、「〜だよ」で通した。これに最初は戸惑ったという人もいた。誰が話しているのか、男が話しているのか女が話しているのか、すぐにはわからなかったという人もいた。ついでながら、翻訳小説が男女の話しことばに関して保守的なのは、名前だけだとすぐに性別がわからない場合があるということも原因していると思う。いずれにしろ、ケイスのことば使いについては結果的に好評だった。むしろカッコいいと思ってくれた読者が多かった。

最後は自慢話かよ、と言われそうですね。はい、そのとおりです。でも、恥ずかしい話も明かしているので、ま、大目に見ていただければ幸い。

著者ボストン・テランは今も覆面作家で、年齢も性別もわからない。作品によく登場する音楽の好みからすると、少なくとも六十歳は越えていそうで、本書を訳した当初は男の作家と思っていたが、邦訳第四作の『音もなく少女は』を訳したときに、この描写は女性ならではという個所に何度か出くわし、以来、私は女流作家だと思っている。まあ、年齢性別というのはどうしても気にはなっても、それで著者にしろ作品にしろ、その評価が変わるものでもなんでもないが。

本書の奥付を見ると、二〇〇一年九月十日。そう、あの大事件の一日まえだ。テロの一番の目的は破壊活動そのものではなく、人々の心にまさにテロ――恐怖――を植えつけることにある。恐怖を心に抱えると、人は不寛容にも利己的にもなりがちだ。これまた年寄りの感傷かもしれないが、私には、あのとき摩天楼だけではなく、宗教も文化も国籍も人種も民族も関係ない、万国共通の大切な何かが永遠に失われてしまったような気がしてならない。

第一五回　デイヴィッド・ベニオフ『25時』の巻

新潮社／二〇〇一年

映画を見て思わず「あっ！」

刊行順のはずがまた前後してしまった。奥付を見たら、『神は銃弾』は九月十日で、本書は九月一日だった。やはり印象度としては『神は銃弾』のほうが強かったせいかと思うが、ちょっとの差なんで、どうかご容赦を。

『神は銃弾』は文字どおりの難行苦行だったが、この『25時』の訳出は実に愉しかった。その一番の理由は、ま、原作が平明な文体で書かれていたからだが、本書もまた文句なしの傑作である。これだけはまず最初に言っておきたい。

物語の舞台はニューヨーク。二十七歳の主人公モンティは明日刑務所に収監されることが決まっている。罪状は麻薬の不法売買で、刑期は七年。まともな家庭に育ち、進学校にもかよっていたモンティがどうして売人になどなってしまったのか。高校三年生のときに金のにおいを嗅ぎつけ、友人にマリファナを調達したのがきっかけだった。それがどんどんエスカレートしていき、マフィアともつながりのある人間になってしまったのだ。では、どうしてそこまで深入りすることになったのか。人に対する影響力を持つことにあこがれたからだ、と本人は自己分析しているが、こじつけっぽい。要するにこれといった理由はないのだ。とびきりハンサムという点を除くと、モンティはごく普通の青年だ。環境の犠牲者というわけではない。そういう普通の人間がこれといった理由もなく、気づくと犯罪常習者になっている。洋の東西を問わず、こういうことはよくあることなのだろう。

そんな彼が収監されるまでの二十四時間が現在進行形で描かれる。モンティ以外に登場するのはまずモンティの親友のスラッタリー。ウォール街の証券マンで、高額所得者の彼は株価の値動きに全神経を張りつめさせている。もうひとりの親友、高校教師のジェイコブは、作文の評価を上げてくれと頼み込んできた女子生徒の対応に手こずっている。教師にあるまじきよからぬ妄想を早熟なその女子生徒に抱きながら。モンティの恋人ナチュレルはどうしてモンティに売人をやめるようもっと早く言わなかったのか自問している。その理由は単純明快なのに。それは彼女自身よくわかっているのに。そう、自分もドラッグマネーの恩恵に浴しており、贅沢な暮らしがあきらめられなかったからだ。

収監まで残すところ数時間となったところで、モンティはスラッタリーに思いがけない頼みごとをする。その頼みの中身をここに明かすわけにはいかないが、スラッタリーは最初その頼みを断わる。が、モンティの策略にはまり、彼に誘導され、最後には聞き入れることになる。頼んだとおりのことをしてくれたスラッタリーにモンティが言う。「ごめんな」と。万感の思いが込められたこのひとこと。実に見事なクライマックスだ。物語は、そのあと父親の運転する車に乗って刑務所に向かうモンティが、もはやありえない自分の将来を妄想するところで終わる。自業自得と言えばそれまでだが、それでもどこまでもどこまでも切ない話だ。

本書は書評家の北上次郎氏（本名は目黒考二。普段「目黒さん」と呼んでいるので以下それで）によって朝日新聞のメインの書評欄に取り上げられた。目黒さんには実はこのあと続けて『神は銃弾』も取り上げてもらっている。当方としてはなんともありがたいことながら、目黒さんとはこの頃から競馬を通じてのつきあいが始まっており、もしかして気を使ってくれたのでは？　と最初思った。もちろんそれは邪推だった。少しでもつき合えば、目黒さんがそういうことをする人でないのはすぐにわかる。プライヴェート面ではむしろ、もっと気を使えよ、と言いたくなることが多い人だ。本人は本人で気を使っているつもりなので、そのぶんよけいに性質《たち》が悪い。

ま、それはともかく、この目黒さんの書評は書評の世界でいっとき話題になったそうだ。みなさんもご承知のように、新聞のメインの読書欄ではカタい本が取り上げられることが圧倒的に多い。文庫本、しかもエンタメ作品が取り上げられることはめったにない。これはあとから朝日新聞の記者から聞いたことだが、朝日新聞でのそうした例はこの目黒さんの書評が初めてだったそうだ。実は目黒さんはこのあと競馬本も取り上げており、これはおそらく空前絶後の快挙（？）だろう。そういうことをなんの気負いもなくやるのが北上次郎という書評家で、そこのところは素直に感心する。ついでながら、彼はまた面白くないと思った本の書評や解説の依頼は絶対に引き受けないそうだ。そのことを公言しているし、彼の普段の言動と彼の性格——つまりちょっと偏屈——を知る者にはそれが嘘でないことが容易に信じられる。彼のこうしたブレないところ。これも敬服に値する。

書評家としてそんなことは当然なのではないか、と思われる方もおられるかもしれない。が、書評家諸氏から話を聞くと、そうでもないらしい。ことさら心に響かなかった作品でも嘘をつくことなく、誉めるのがプロの書評家の腕の見せどころ、とまで言いきる書評家もいる。

思えば、この点はわれわれエンタメ系のプロの翻訳者とよく似ている。訳す作品を選り好みできるのはよほどの大家だけだろう。私もあまり面白いとは思えない作品を訳したことなどこれまでに何度でもある。ただ、私の場合、訳しおえて拙訳を読み返すと、どんな作品もよく思えてくるから不思議だ。いいじゃん、これ、悪くないじゃん、と嘘偽りなく思えるのだ。こういう得な——あるいは特異な——性格をしているのもこの仕事を長く続けてこられた理由のひとつになっているのではないか。自分ではそう思っている。

いずれにしろ、目黒さんが文庫のエンタメ作品の書評を二冊続けてやるというおそらく前代未聞の偉業（？）を達成し、取り上げたのが二冊ともたまたま拙訳で、さらにそれがちょうどわれわれが競馬場に一緒にかよいはじめるようになった頃だったわけだ。振り返ってみると、わがことながら、なにやらめぐり合わせのようなものを覚えないでもない。

彼の本書の書評そのものについては、「青春の悔悟」という見出しを見てまず、やられた！　と思った。翻訳というのはある意味、究極の精読である。だからたいていの場合、訳者は（当否は別にして）われこそ原書の一番の理解者だといったぐらいの自負を持っているものだ。で、私もそうした自負と自信を持って、本書をなにより特徴づけているのは〝微温〟だとあとがきに書いた。そもそも描かれているのは処刑前夜ではない。収監前日であって、犯した罪も麻薬の不法売買。およそドラマティックとは言えない、むしろケチな犯罪だ。さらに親友と恋人と父親との主人公の交情。これまたどれもいかにもぬるい。それぞれの別れの涙も決して熱いものではない。また、この翻訳は9・11以前のことで、バブルはもう終わっていたものの、二千年紀の終わりという時代を映すことばとして「微温」が流行っていた（ように思う）せいもあり、内心得々として「微温」

ということばをあとがきに書いたのだった。それがずばり「青春の悔悟」と、もっとずっと大きな作品の的を目黒さんに射られちまったわけだ。

きちんと思い出せないのだが、確か「どんな青春にも悔悟はつきものだ」という文脈の中でのこの見出しだったと思う。言われてみればそのとおりだ。まったくもってそのとおりの作品である。モンティは根っからの悪人でも犯罪者でもない。極悪非道をおこなってきたという自覚もないまま、気づくと明日はもう刑務所に収監されるのだ。モンティがこれまでの人生を振り返り、悔やんでも悔やみきれない思いでいることなど想像するまでもない。そういう悔悟のひとつやふたつは、程度と質の差こそあれ、誰の青春にもあるものだ。この作品の読後感がどこまでもどこまでも切ないのはそのせいだろう。目黒さんの書評を読んだあとしばらくは「微温」などとあとがきに書いた自分が――「微温」という作品評がまちがいだと思ったわけではもちろんないが――なんだか小賢しく思えてしかたがなかった。

さて、翻訳面だが、原文が平易だったせいか、今回読み直して引っかかるところは特になかった。訳了したあと著者に尋ねた質問も前回の『神は銃弾』同様、固有名詞に関するものがほとんどだった。ただひとつ。これはおそらく当時使っていた辞書に載っていなかったのだろう、Eejitsという単語の意味を訊いている。スラッタリーが自分の伯母さんのアイルランド訛りを真似る場面で出てくる。言われてみると、な～んだ、なのだが、訳しているときには類推できなかったのだろう。答はIdiots（まぬけども）。今確かめたら、ネットの辞書にはあちこちに、アナログの辞書では『ジーニアス』に載っていた。いやはや、今さらナンですが、便利な時代になったものです。

では、最後に、今回の見出しにも使ったとっておき（？）のまちがいをば。

父親が運転する車でモンティが刑務所に向かうシーン。まえを走るバスの後部座席に座っている男の子が彼に手を振ってくる。そして、曇ったガラスに指で字を書く。moTと。モンティにはなんと書かれたのか一瞬理解できない。が、やがてわかると、顔が許すかぎりの笑みを浮かべ、彼のほうも自分の車の窓に指で書く。Monty（モンティ）と。しかし、彼がtの横棒を引いたときにはもうバスは走りだしてしまっている……

本書は著者ベニオフの脚本、社会派のスパイク・リーの監督で映画化されているのだが、その試写でこのシーンを見て、「あっ！」と思った。もしかしたら、実際に声に出していたかもしれない。もうお気づきだろうか、男の子はmoTと書いたのではなく、Tom（トム）と自分の名前を書いたのである。それが窓ガラスを反対側から見ているモンティには左右逆にmoTと読めたのだ。実際、映画に出てきた男の子は悪ガキでもなんでもなかった。見るからに純真そうな可愛い男の子だった。

拙訳もほぼこのとおりで、読むかぎりにおいて誤訳にはなっていない。が、実のところ、まったく誤解していた。motとはスラングで「女」「あばずれ」さらには「女性器」の意味がある。で、てっきり悪ガキがそんな文字を書いたのだと思い、そのように訳注まで入れた。ただ、moTとTが大文字になっているところはちょっと気になりながらも、あまり深くは考えなかった。子供にありがちなうけ狙い、あるいはただ単に普通を嫌っただけぐらいにしか思わなかった。

可愛い男の子がなんの邪気もなく自分の名前を書く。しかし、その名を裏から読むと、妙なことばになっている。だから主人公モンティは怪訝に思う。それでもすぐに気づいて、自分のほうは相手にちゃんと読めるように左右逆にして自分の名前を書く。が、そのときにはもう男の子はいなくなっている。これまた切なくて素直にいいシーンではないか。なのに、私はてっきり悪ガキが「×××」とふざけて書いたと思ったわけだ。こういう誤読はお里が知れるというのだろうか、本性が出るというのだろうか、かなりハズい。

本書の原作が上梓されたのは9・11の前年だが、映画は9・11直後の設定で、世界貿易センタービルの跡地「グラウンド・ゼロ」が何度も映し出される。拙訳が出たのは9・11直前で、文庫のカヴァーにはニューヨークのスカイラインを背景にしたイラストが描かれ、その中にはもちろんツインタワーがしっかり描き込まれている。もはや存在しないものが。前回の『神は銃弾』の巻でも書いたことだが、あの事件を思うたび、あのとき建物だけでなく、何かが永遠に失われてしまったような気がしてならない。ロートルのそれこそ微温の感傷とわかりながらも。

三章

悪人はだれだ？

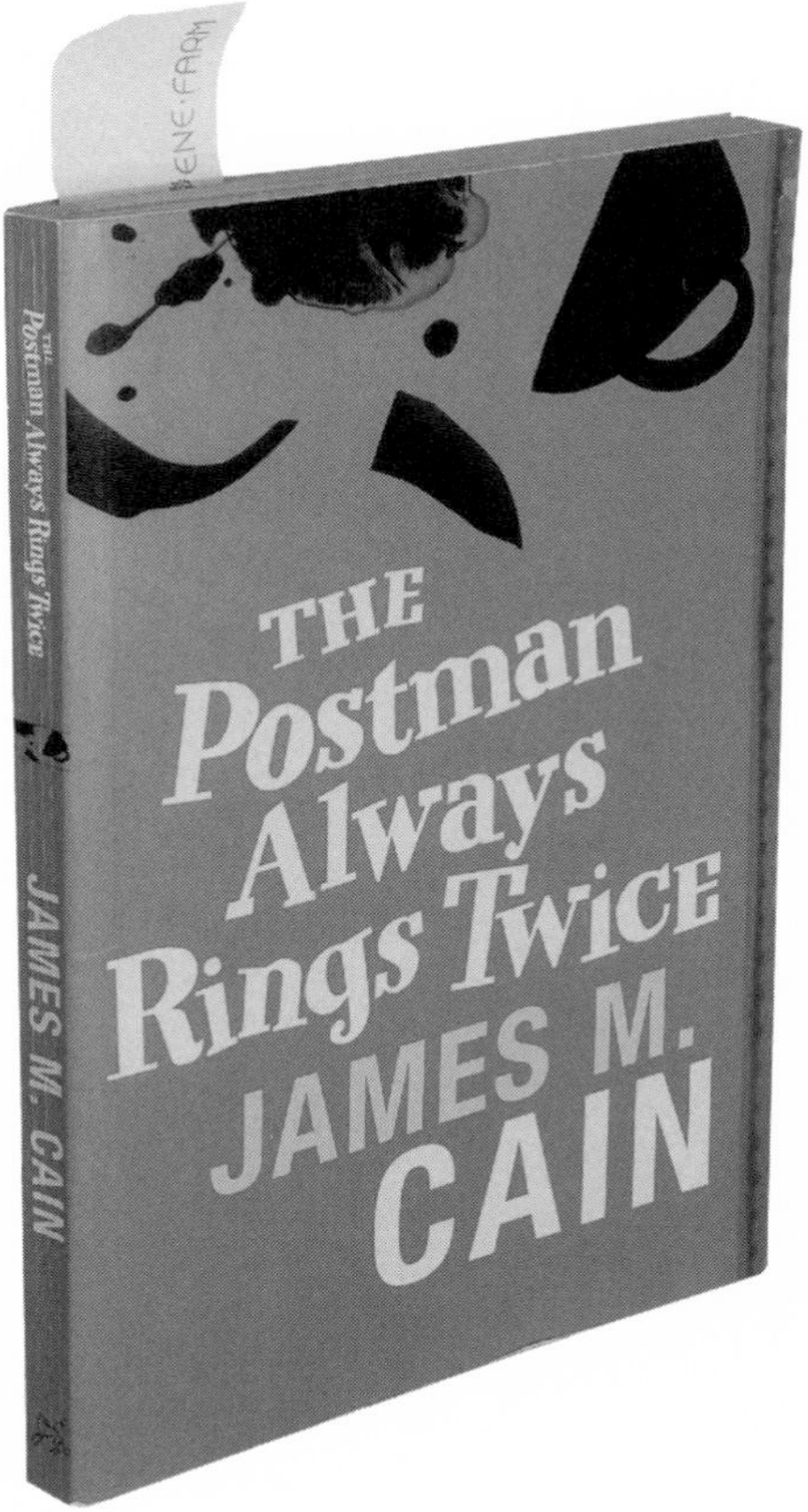

THE Postman Always Rings Twice
James M. Cain, Orion Books, 2005

『郵便配達は二度ベルを鳴らす』
ジェームズ・M・ケイン、新潮社／2014年

hat two people can ever have. And we just weren't
at could have it. We had all that love, and we just
under it. It's a big airplane engine, that takes you
sky, right up to the top of the mountain. But
ut it in a Ford, it just shakes it to pieces. That's
e, Frank, a couple of Fords. God is up there
us.'

'The hell he is. Well we're laughing at him too, aren't we? He put up a red stop sign for us, and we went past it. And then what? Did we get shoved off the deep end? We did like hell. We got away clean, and got $10,000 for doing the job. So God kissed us on the brow, did he? Then the devil went to bed with us, and believe you me, kid, he sleeps pretty good.'

'Don't talk that way, Frank.'

'Did we get that ten grand, or didn't we?'

'I don't want to think about the ten grand. It's a lot, but it couldn't buy our mountain.'

'Mountain, hell, we got the mountain and ten thousand smackers to pile on top of that yet. If you want to go up high, take a look around from that pile.'

'You nut. I wish you could see yourself, yelling with that bandage on your head.'

'You forgot something. We got something to celebrate. We ain't never had that drunk yet.'

'I wasn't talking about that kind of a drunk.'

'A drunk's a drunk. Where's that liquor I had before I left?'

I went to my room and got the liquor. It was a quart of Bourbon, three quarters full. I went down, got some Coca Cola glasses, and ice cubes, and White Rock, and came back upstairs. She had taken her hat off and let her hair down. I fixed two drinks. They had some White Rock in them, and a couple of pieces of ice, but the rest was out of the bottle.

'Have a drink. You'll feel better. That's what Sackett said when he put the spot on me, the louse.'

第一六回　リチャード・モーガン『オルタード・カーボン』の巻

思い出がいっぱい詰まった難物

アスペクト／二〇〇五年

　本書もむずかしかった。ジョン・ル・カレの『パナマの仕立屋』、ボストン・テランの『神は銃弾』と肩を並べる私の三大難物のひとつ。本書の場合、英文のむずかしさに加えて、ＳＦ作品であったことも難度を上げている。ＳＦはＳＦに関する基礎知識がないと訳せない。私のようなＳＦ素人がＳＦを訳すのは、私のイメージでは、サンダル履きでエヴェレスト登頂をめざすくらい無謀なことだ。それぐらいわかっていた。だから、最初は断わったのだ。が、フェロー・アカデミーの室田陽子理事長の仲介による、それまで仕事をしたことのない版元、アスペクトの仕事ということもあって、とりあえず読むだけは読んで、しかるのち丁重にお断わりしよう——正直に言うと、オファーを受け

たときには内心そんなことを考えていた。

ところがどっこい。読んでびっくり、面白いのなんのって。もちろん、一読しただけでは細かいところまでは読めていない。わからないところだらけなのだが、それでも——Prescott's well-bred distaste wasn't sitting too well beside Victor Elliott's anguish...（プレスコットの苛立ちはヴィクター・エリオットの苦悩の横に並べるには育ちがよすぎた……）なんてつぶやく主人公のタケシ・コヴァッチがカッコいいったらないのだ。加えてこんな情景描写がごろごろしているのである——There are ruins, steeped in shadows, and blood-red sun going down in turmoil behind distant hills. Overhead soft bellied clouds panic towards the horizon like whales before the harpoon...（廃墟が影に浸《つか》っている。血のように赤い太陽が騒ぎながら遠い丘の向こうに沈んでいく。頭上では柔らかい腹をした雲が銛《もり》を眼のまえにした鯨のように慌てふためき、地平線のほうへ走っている……）

ね、かっこいいでしょ？　これってハードボイルドじゃん。そう思い、思いきって引き受けたのだが、翻訳中は想像を超える悪戦苦闘の連続だった。ハードボイルドではあるのだけれど、やっぱりＳＦはＳＦなんだもん。

舞台は二十七世紀の地球、現在のサンフランシスコと思しいベイシティ。その時代、人の記憶をデジタル化することで、すでに不老不死が現実のものとなっている。で、人はみなそれまで生きてきたすべての記憶を保存できるメモリースタックなるものを頸椎のあたりに埋め込んでいる。だから肉体は死んでもそのメモリースタックが無傷なら、新たな肉体を手に入れられるかぎり――それだけの財力があるかぎり――人は永遠に生き永らえることができる。肉体を新たに変更する（alter）こともできれば、カーボンコピー（carbon）することもできて、そうした肉体がすなわち〝オルタード・カーボン（Altered Carbon）〟というわけだ。

そんな時代にあって、ベイシティに住むある大富豪が何者かに殺される。といっても、殺されたのは肉体だけで、メモリースタックは無事だった。だから、上記の理由からその大富豪はまだ生きている。警察はそれを自殺と断定するが、大富豪自身はどうしても自殺とは思えず、何百光年も離れた植民星のハーラン星から元兵士であり、服役囚のタケシ・コヴァッチを呼び寄せる。かくしてコヴァッチは初めて訪れた地球で〝殺人事件〟の調査に乗り出す――というお話で、これはもう私立探偵小説の王道をゆくような結構だ。私立探偵小説ならお手のもの。そう思い、引き受けたのだが、そうは言ってもＳＦ

はやっぱりＳＦで、文字どおり悪戦苦闘の……もういいか。

実は本書には悪戦苦闘だけでなく、貴重な体験もさせてもらった。世界最大規模のブックフェアが毎年ドイツのフランクフルトで開かれるのだが、版元のアスペクトさんのご厚意でそれに連れていってもらったのだ。それもフェアのあとはロンドンに渡って著者のリチャード・モーガンさんと対談をするというおまけつきで。しかもロンドンで滞在したホテルの部屋はスイート！　いい出版社ですねえ、いい時代でしたねえ。

ただ、フェア開催中はフランクフルトのホテル代がとんでもなく高騰するので、ドイツ滞在中に泊まったのは、フランクフルトから地下鉄で十五分程度のところにあるマインツというところだったのだが、このマインツでなんとも珍しい体験をした。いや、体験というかなんというか。

私が渡欧したのはフェアが始まってからで、アスペクトの担当編集者のＭさんはさきに現地入りしていた。で、ひとりで昼下がりにホテルにチェックインして、そのあとＭさんがフランクフルトでの仕事を終えて夕方に戻ってくるまで、近くを流れるライン川の川沿いをぶらぶら歩いて暇つぶしをした。すると、歩くうち妙に既視感が湧いてきた。

マインツは活版印刷技術の発明者と言われるグーテンベルクの生誕地で、広場に銅像が立っている。この銅像、見たことあるんですけど、私。歩きはじめて小一時間は経っていた。そこでやっと気づいたのだ、その昔、マインツを訪ねたことがあったことに。

ま、ただそれだけの話なんですがね。それでも、訪ねたことがあるのにそのことをそのときまですっかり忘れていたことには、われながらさすがに驚いた。ヨーロッパはけっこう家族旅行をしているが、行った地を忘れるほど頻繁というわけでもない。あとで妻に確かめたらマインツに行ったのはそのときから二十年近くまえのことではあったが、それでもねえ。いまだにこの椿事はわれながら不可解。

ロンドンでは対談というより実質的には原作に関する著者への質問タイムになった。思えば、このとき著者に質問できていなければ、悪戦苦闘の末に討ち死にしていたかもしれない。

そうそう、今思い出した。翻訳そのものに関わることではないが、この作品、実のところ何世紀が舞台なのか、ということについて、不思議なことに、オリジナルのイギリス版とアメリカ版と日本版で、それぞれ順に二十五世紀、二十六世紀、二十七世紀と数字がちがっている。本文には何世紀とも書かれていないのだが、本の謳い文句がそれぞれそうなっているのだ。拙訳が出ると、そのことに着目した書評家がいて、アメリカの二十六世紀が妥当だろう、とどこかに書いているのを見かけたが、これは実はわが方に分《ぶ》がある。いきさつも忘れてしまい、今回本書を読み返してもその根拠を見つけることはできなかったのだが、なによりロンドンで会ったときに著者に直接訊いたのだ。細かく読むと、なんとなく時間に矛盾するところがあり、SFは素人でも細かいことにこだわる日本人代表として、私なりに計算した上で、二十七世紀が正しいのでは？ と言ってみたのだ。すると、モーガンさん、にやりと笑われ、あんまり訊かれたくないところだけれど、そのとおり、とおっしゃったのである。ま、何世紀だっていいような話ではありますが。

本書の訳者として私に白羽の矢が立ったのは、著者のモーガンさんがローレンス・ブロック・ファンだということも理由のひとつだった。で、質問タイムにふと思いついて、ブロックさんに会ったときにも訊いた同じ質問をぶつけてみた。作家にとって大切と思われることをふたつ挙げてくださいと。ブロックさんの答はcourage（勇気）とhonesty（正直さ）だったところから明かすと、かなり長いこと考えた末、passion（熱情）とcompassion

（同情）という答が返ってきた。このときこの答に深く納得したのを覚えている。タケシ・コヴァッチという主人公がなによりこのふたつを併せ持ったヒーローだったからだ。

さて、翻訳に関して。

まずひとつ、ＳＦのど素人が訳すとこういうことをしでかす見事なばかりにみっともない誤訳。red dwarf。これはＳＦ用語というより天文用語で、ウィキペディアにも出ている。本書を訳した当時、すでにウィキペディアはあったようだが、掲載されていなかったのか、私にはまだそういう文明の利器を使いこなせなかったのか、今となってはわからないが、いずれにしろ、その説明には「主系列星の中で特に小さい恒星のグループ」とある。でもって、ＳＦの世界にはよく出てくる単語のようで、「赤色矮星」という定訳がある。それを無知な私はそのまんま「赤い小人」と訳してしまった。これはさきに登場願った書評家に書評の中で揶揄されたおかげでわかったのだが、こういう過ちは今もまだわかっていないだけでほかにもあるかもしれない。

もうひとつ、これはＳＦ用語でも天文用語でもなく、むしろミステリー翻訳者としては大いに不明を恥じなくてはならない銃に関する表記だ。それも本書のしょっぱなに出てくる。Heckler & Koch。有名なドイツの銃器メーカーなのに、当時は残念ながら知らず、

「ヘックラー&コッチ」とやっちまった。正しくは「ヘックラー&コッホ」。これは親しい編集者に教示されてあとからわかった。私にはすでにハードボイルド翻訳者みたいなレッテルが貼られていて、それを私自身歓迎していた。それだけにこの誤記はことさら恥ずかしい。

本書が難物であったのはまちがいないが、それは英文解釈に難儀したのではなく、出てくる単語そのものにわからないもの、辞書に出ていないものが多かったせいであることが今回読み返してわかった。SFならではの著者の造語もやたらと出てくる。たとえばこれまたしょっぱなから。第一部「到着」の副題Needlecast Download。具体的にどうするのかまでは、著者から説明を受けてもハイテク音痴の私にはよくわからなかったのだけれど、要するに惑星間を超高速で移動する手段のことだ。まあ、針みたいに細くなって移動する？　その程度しか想像できないのだけれど、needlecastそれ自体は辞書に出ていて、「葉ふるい病」とある。で、なんじゃ、これ？　となるわけ。結局、本文を読めばすぐにわかることなので、そのままカタカナで「ニードルキャスト・ダウンロード」としたが、実のところ、SF素人翻訳者にはこういうことからそもそも判断がつかない。

カタカナのままでいいのかどうか。

その結果、訳がちゃんぽんになったりもしている。たとえば、地球外生物としてswamp pantherとかbottleback sharkとかいった生物が出てくるのだが、前者は「沼豹」、後者は「ボトルバックサメ」と訳した。後知恵ながら、昔のSFには訳語に漢字もわりと使われているところを見ると、「ボトルバックサメ」のほうは「背瓶鮫」なんて訳でもよかったかもしれない。

単語ではなく、文としてはこんなのがある——"Never been d.h.'d, hmmm?" コヴァッチが女刑事に歳を尋ねたあとでこう問いかけるのだが、これも、なんじゃ、これは? だよね。なんの略かまるで見当もつかなかったのだけれど、それもそのはず、答はdegital humanなどという当時はまだネット上にも(たぶん)なかったことばの省略形である。そんなの、わかるわけないじゃん。余談になるが、このことばを考えたのはたぶん自分が初めてだろう、とモーガンさんがちょっと自慢気におっしゃっていたのを今、思い出した。意味は人間そのものをデジタル化し、惑星間を移動させることで、訳としては「移送」をつけ加えて「デジタル人間移送したことはまだない?」とした。

こうして振り返ってみると、無謀な挑戦をしたものだとつくづく思う。さきにも書いたが、ＳＦの翻訳としては不備なところがそのまま今も残っているかもしれない。その点は読者に申しわけないと思うが、それでも個人的には思い出深い本だ。下世話でナンだが、初刷りもいっぱい刷ってもらったし。ただ、重版はかからず、この点は版元に申しわけなく思うが。しかし、二〇一九年、本書がNetflixで映像化されたのを機に、パンローリングという出版社が復刊してくれた。こういうところ、ほんと、運のいい翻訳人生です、私。

本書が出版されたこの年、ウィキで見たら、世界じゅうでテロやら暴動やら飛行機事故やら自然災害やら、悪い知らせとしか思えないことが次々に起きている。すっかり忘れている出来事も多かったが、ざっと見るかぎり、世界的にはあまりいい年ではなかったみたいだ。ただ、この年、文字どおり〝深い衝撃〟を競馬ファンに与えた名馬が出現している。そう、ディープインパクト。可哀そうに今年（二〇一九年）亡くなってしまったけれど、この不出世の名馬が牡馬三冠を達成したのがこの年でした！

第一七回　ジェームズ・M・ケイン『郵便配達は二度ベルを鳴らす』の巻

思い焦がれた名作の新訳！

新潮社／二〇一四年

旧訳のある作品を新たに訳し直すという仕事はすでに何度かやっていたが、この作品だけは特別だ。そう、長いこと私のほうからやらせてくれと版元に頼んでいた作品なのだ。当時、新潮社で翻訳ものの統括をなさっていた若井孝太さんにずっとお願いしていたのだ。で、若井さんもいろいろと社内で尽力してくださっていたのだが、諸事情により（ま、要するにあまり売れないだろうという判断ですね）棚上げされていたのが、一転、棚からぼた餅みたいに私のところに転がり落ちてきたのである。

この僥倖にはわけがある。著者ケインの幻の原稿が死後三十五年も経って発見されるというちょっとしたブンガク的な事件があり、その版権を新潮社が取得したためだ。この幻の遺作が本作とほぼ同時に上梓された『カクテル・ウェイトレス』で、つまりこれとの抱き合わせで出版可能と相成ったわけだ。『カクテル』の版権取得は競合したそうで、新潮社が取得せず、若井さんが私の願いを覚えていてくれなかったら、叶わなかったかもしれない仕事である。抱き合わせ出版の一報を受けたときには、小躍りするほど嬉しかった。

本作を初めて読んだのは高校一年のときで、田中西二郎訳の新潮文庫だった。友達が貸してくれたのをなんの気なしに読んだのだが、一発でノックアウトされた。以後——私は同じ本を何度も読むということをあまりやらないのだが——何度か読み返している。本作は何人もの訳者が訳していることでもよく知られた本で、拙訳以前にすでに七通りの訳があり、田中西二郎訳以外でも田中小実昌訳と小鷹信光訳は出版されたときに読んでいた。でもってそのたびに、いい話だなあ、とつくづく思った。

しかし、この話、常識的に考えればおよそいい話とは言えない。警察の厄介に何度もなっているフランクという風来坊が街道沿いの安食堂にぶらりとはいり、そこで給仕をしていた店主の若い妻コーラにたまたま一目惚れし、それが理由で店の手伝いをするようになる。フランクとコーラはすぐにいい仲になると、邪魔な店主の殺害を企む。この店主、少々ウザいところはあるものの絵に描いたような好人物だ。そんな相手の殺害を計画し、一度は失敗するものの、二度目で成功する。それも実に無残な殺し方をする。まさに鬼畜の所業である。色恋がからんだ欲得ずくの人殺し。うんざりするほど俗な話だ。いい話であるわけがない。

ところがどっこい、本書を読みおえるたびに、いい話だなあ、と思ってしまうのである。本作には極悪人のふたりの当然の報いのような結末が用意されていて、後味がいい話でもないのに、「みんなもひとつおれとコーラのために祈ってくれ。おれたちが一緒になれるように。一緒になれるその場所がどこであろうと」と最後に訴えるフランクの独白にはいつも胸がつまる。ふたりが一緒になれるようにと祈ってやりたくなる。たとえその場所が地獄であっても。しかし、そう思うのは私だけではないはずだ。本作が書かれたのは九十年近くもまえなのに、今尚読み継がれているのだから。おまけに、これまでに四度も映画化され、日本では拙訳を含めると八つも邦訳があるのだ。時と場所を超える本作の人気のなによりの証左だろう。

では、それほどの本作の魅力とは何か。それは現実世界においては俗なのに、虚構の中では俗でなくなっているところだ。私は断じてそう思う。小説にはそういう力がある。現実をひっくり返す力だ。「現実」というものを丁寧に手ぎわよくなぞって描く、見事な工芸作品のような小説も悪くない。が、深く考えずになんとなく思い込んでいる世間の常識というのはけっこうあるもので、それがただの思い込みであることを教えてくれる小説もこの世にはある。そういう小説に出会うと、それがどんな作品でも、私はなぜか人間ってやっぱりいいよな、という気持ちになる。思いきって言うと――異論はあろうが、また、歳のせいもあろうが――、小説とは本来読者に、人間っていいよな、と思わせなくてはいけないものなのではないだろうか。本作は私にとってそういう小説の最右翼で、今回も久しぶりに読み直して同じことを思った。ついでながら、ジャンルも作風もまったく異なるが、最近では村田沙耶香さんの『コンビニ人間』がまさにそういう小説だった。

さて、翻訳の話。

さきに書いたとおり本作の邦訳は拙訳も含めると、八つある。どれも読んだが、みなそれぞれ訳者と時代によって雰囲気の異なる作品になっている。原著の解釈が異なるところももちろんある。たとえば——I'm up awful tight, now. 刑務所に入れられ、進退きわまったフランクの独白だが、この原文の訳を時系列で並べるとこうなる。

飯島正訳——もう僕はたまらない。(一九五三年)
蕗沢忠枝訳——また、たまらなく、切なくなってきた。(一九五五年)
田中西二郎訳——いま、おれは恐ろしくのぼせあがっている。(一九六三年)
田中小実昌訳——頭がすごくぼんやりしている。(一九七九年)
小鷹信光訳——おれはいま、死ぬほど緊張している。(一九八一年)
中田耕治訳——いま、おれはあたまがすごくぼうっとしている。(一九八一年)
池田真紀子訳——もう本当に頭が働かない。(二〇一四年)
拙訳——今は神経がひどくたかぶっている。(二〇一四年)

ずいぶんちがうでしょ? tightをどう理解するかでこれだけちがってくる。私としては拙訳が正解とは思っているが、自分の解釈に百パーセントの自信があるかと言えばそうでもない。
もうひとつ、これは解釈ではなく、ひとえに訳語の選び方に関することだが、フランクとコーラがコーラの夫を惨殺したあとの有名なシーン。殺人を自動車事故に見せかけるためにフランクに顔を殴られたあと、コーラがフランクとの体の交わりを求めて発することば——Rip me! Rip me!

飯島訳——「やぶいて頂戴。やぶいて、みんな!」
蕗沢訳——「もっと、めちゃめちゃにして! めちゃめちゃにして!」
田中(西)訳——「やぶいて! やぶいて!」
田中(小)訳——「ひっちゃぶいて! ひっちゃぶいて!」
小鷹訳——「破って! めちゃめちゃにして!」
中田訳——「やぶいて! やぶいて!」
池田訳——「破って! 破って!」
拙訳——「破いて! あたしを破いて!」

これまたそれぞれ感じがちがうが、正直に言うと、私は田中小実昌訳が一番好きだ。悔しいけれど。だって、「ひっちゃぶいて！」ですよ。よほど知らん顔してパクろうかと思ったほどだ。ついでながら、ここは誰か人がやってくるまえに事故に見せかけなければならない一刻を争う場面である。だから、そんなときにそんなことをやってる場合か、と普通なら突っ込みたくなるところだ。それがそうはならない。逆にふたりのせっぱつまった思いがびんびん伝わってくる。こういうのもジョーシキがちょこっと覆されていて私なんぞは嬉しくなる。

最後にひとつ、フランクとコーラが海水浴をしようとふと思い立ち、「海の家」みたいなところに行くシーン――...we cut for the beach. They gave her a yellow suit and a red cap, and when she came out...

飯島訳――二人で海岸に行った。彼女は黄色の海水着を着、赤いキャップをかぶって出て来た――

蕗沢訳――ふたりは一緒に海岸へドライヴした。彼女が、黄色い水着に紅い海水帽姿で現われたとき――

田中（西）訳――ふたりで浜へいった。女（コーラのこと＝著者）は黄いろい水着と、
赤い海水帽を借りたが、支度して出て来たときには――
田中（小）訳――かえりに、海水浴場にまわった。ビーチ・ハウスでコーラはイエロー
の水着と赤い帽子を借りた。
小鷹訳――二人で海辺に向かった。海岸の店であいつは黄色い水着と赤い帽子を買った。
中田訳――ふたりで出かけて（略）海岸へ行った。彼女は黄いろい水着と、赤い海水
帽を借りたが、身支度をして出たとき――
池田訳――二人でビーチに向かった。レンタルの黄色い水着と赤い帽子に着替えた姿
を見て――
拙訳――おれたちはビーチに行った。黄色い水着と赤い帽子を身につけて店から出
てきた彼女を見ても――

些細で細かなところだ。実は、拙訳が出たとき、私のほうから代官山蔦屋書店のカリスマ書店員、間室道子さんにお願いし、さらに書評家の杉江松恋さんに司会を頼んで、小鷹信光さんと対談をしたのだが、これはそのとき小鷹さんのほうから問題になさった

個所だ。gaveをどう解するか。買ったのか、借りたのか。繰り返すが、些細で細かなことだ。で、その対談のときにもそう言ったら、細部を大切にしてこその翻訳だ、と小鷹さんからお叱りを受けた。ただ、買うか借りるか、「買う」としているのは小鷹訳だけで、両田中訳と中田訳と池田訳が借りる。飯島、蕗沢、拙訳は買うとも借りるとも訳していない。ほかのおふたりの場合はどうか知らないが、実は私も原著を読んだときには「借りた」とまず思った。フランクとコーラの経済状態から考えて、たまさかの海水浴にいちいち水着を買う余裕などあるわけがないと思ったからだ。ただ、そのあと小鷹訳を確かめて……白状しよう、日和ったのだ。あの小鷹さんの訳である、きっときっちり調べた結果の「買う」なんだろうと勝手に想像したのだ。それでも、百パーセント納得したわけではなかったので、ま、結局、ぼかしたわけだ。

いずれにしろ、この答は実はもう出ている。対談のときに小鷹さん自身が自らのまちがいを認められたのだ。しかも、ネットで見つけた「水着貸します」という一九三〇年代当時の看板が写っている写真を示して。正直なところ、水着を買おうと借りようと、今でも些細なことだとは思っている。しかし、疑問点に対する翻訳者のあるべき姿勢として、得心がいくまで調べるか、あるいはぼかして逃げるか。答はおのずと出ている。

ない場面。

もうひとつ、ネットのおかげで解決できた疑問点をば。原文はI hadn't any more than squirted the ammonia in it(coke) than she was at the door. コーラとコカコーラでややこしいが、フランクがコカコーラを飲もうとしていたら、コーラが戸口にやってきたというなんでもない場面。

飯島訳――始めると間もなく、彼女の姿がドアの所に現われた。

蕗沢訳――……コカコラを作りはじめた。やっとアンモニヤがふき出したところへもう彼女がやってきた。

田中（西）訳――……コカコラを一杯ついだ。そのアンモニアの匂いを吸いこみもしないうちに、女（コーラのこと＝著者）がドアに姿をあらわした。

田中（小）訳――コカコーラのなかのアンモニアのにおいがしたかしないうちに、コーラがドアのところにきていた。

小鷹訳――（コーラの）泡が噴きだすか噴きださぬうちに、あいつが戸口に立っていた。

中田訳――そのアンモニアみたいな匂いが鼻にきもしないうちに、彼女がドアに姿をあらわした。

池田訳――芳香アンモニア精を足してアンモニア・コークを作ったところで、彼女がやって来た。
拙訳――薬用のアンモニアをコカコーラにちょこっと入れたところで彼女も降りてきて戸口に立った。

池田訳と拙訳がネット普及後の訳で、これは手前味噌になるが、池田・田口軍に軍配が上がるだろう。拙訳では割り注にはせず、あとがきで説明したのだが、一九三〇年代当時、滋養強壮を目的として、そんなコーラの飲み方があったのである――なんぞと知ったかぶりをしてはいけませんね。実は、本作の翻訳ではイギリス在住のアメリカ人ミステリー作家マイクル・Z・リューインさんの世話になりっぱなしで、おかげで疑問点の大半を解決できたのだが、これもそのひとつだ。リューインさんもこうした飲み方のあったことはご存知なかったようで、ネットでわざわざ調べてくださったのだ。
貸し水着とアンモニア入りコーク。思えば、本書は翻訳することを長く思い焦がれただけでなく、先達おふたりにプロであることの心構えを教えられた一冊でもあることに、遅ればせながら今気がついた。

さて、次回はその小鷹さんにもリューインさんにも再登場願って、レイモンド・チャンドラーでびしっと締めよう！　内容は締まらないところも多々ある話ながら……

第一八回　レイモンド・チャンドラー「待っている」の巻

小鷹信光さんと三川基好の思い出（1）

早川書房／二〇〇七年

今の若い人にはさほどでもないだろうが、私の世代にはレイモンド・チャンドラーというのは超がつくビッグネームだ。ダシール・ハメット、ロス・マクドナルドと並んでハードボイルド御三家と呼ばれるひとりで、私立探偵の代名詞と言ってもいいフィリップ・マーロウの生みの親である。

この年（二〇〇七年）の三月、そのフィリップ・マーロウものの最高傑作と言われる『ロング・グッドバイ』の新訳が村上春樹訳で上梓され、いっとき翻訳ミステリー・シーンを賑わせた。それに合わせて、早川書房の「ミステリマガジン」四月号でチャンドラー特集が組まれ、「待っている」の新訳の仕事が私にまわってきたのである。その依頼を電話で受け、編集者の話を聞いたあと、受話器を置いたときにはほんとうに武者震いがした。大好きな作家の大好きな作品ということももちろんあった。が、二十七歳で翻訳を始めて三十年、ようやく自分もチャンドラーを訳さないかと請われる翻訳者になれたか、といった感慨が深かった。

その思いは三川基好も同じだっただろう。まえにも登場願ったが、三川と私は中学、高校、大学と同じ学校で、大学を出たあとはわけあって——女性関係です、はい——二十年も没交渉だったのだが、中学の同窓会でたまたま再会したらなぜか一気に旧交を暖め直すことができた。時間が互いのわだかまりを解いてくれたのだろう。いずれにしろ、チャンドラー特集号では、私が本作「待っている」を担当し、三川は「ヌーン街で拾ったもの」を訳し、目次にはこのふたつの作品とわれわれふたりの名前が並んだ。このことを三川はことのほか喜んだ。武者震いもきっと私以上だったにちがいない。

というのも、三川は大学で英語学を教えており、私なんぞより英語は二倍も三倍もよく読めたが、翻訳を始めたのは遅く、訳書数も翻訳年数も私のほうがだいぶ先輩だったからだ。そもそも本人が熱望した翻訳界デビューも私が橋渡しをした。そういう経緯があったものだからなおさらだったはずだ。これでおれもおまえに追いついたな、と大学の彼の研究室で——当時は私も非常勤講師として同じ大学で翻訳を教えていた——掲載誌を掲げ、細い眼をさらに細くして、見るからに嬉しそうに彼に言われたのを覚えている。ただ、三川のこの喜びようにはもうひとつ大きな理由があった。前年の十二月に食道癌を発症し、医師から余命一年と告げられていたのである。

本作が「ミステリマガジン」に載ってしばらくして、前回も登場願った大先輩の小鷹信光さんからぶ厚い封書が届いた。なんだろうと開けてみると、「待っている」に関する資料と、拙訳を丹念に読んでくださって私の誤訳をこれまた丹念に指摘してくださった手紙がはいっていた。指摘箇所は、恥ずかしながら、原稿用紙五十枚たらずの短篇なのに十個所を超えた。そして、そのひとつひとつが的を射た的確な指摘で、手紙を読み進むうち顔から血の気が失せるのが自分でもわかった。

実はこの手紙には経緯がある。本作を訳した直後、たまたま小鷹さんにお会いする機会があり、あとで詳しく触れるが、私は本作に関して「大発見」をしたとそのとき思っており、その興奮も冷めやらぬまま、小鷹さんにその話をしたのだ。日本では「ハードボイルドの父」と言われる小鷹さんに、得意満面の体で。当然ながら、小鷹さんはその私の「大発見」に興味を示され、自分も確かめてみると言ってくださった。そういうやりとりを経てのその手紙だった。

この「待っている」は「ミステリマガジン」掲載後に文庫に収録されることが決まっており、結果的に文庫に収録された拙訳は掲載訳より、手前味噌ながら、数段よくなっている。実のところ、いまだに未解決部分の少なくない(これについてもあとで触れる)本作だが、それでも私自身、いくらかは自信をもって拙訳を提示できるのは、この小鷹さんの手紙のおかげだ。手紙をもらわなければ、文庫収録の際の手直しもいつもどおり、小手先仕事になっていただろう。しかし……それにしても誤訳が十個所を超えていたとは！　思い返すと、今でも地団太を踏みたくなるが、中にはこんな情けない誤訳もあった。あんまり言いたくないけど。The big dark car was a third of a block from the hotel entrance.これを私は掲載訳ではなんと訳していたか——黒い大型車がホテルの玄関から三ブロック離れたところに停まっていた。はい、言うまでもありません、三番目じゃなくて三分の一だよね。英語の序数は分数も表わす。おそらく中学ですでに習いそうなことだ。手紙でこの指摘を読んだときには顔が赤くなった。今ふと思ったが、誤訳を教えられた翻訳者の反応には二通りあるのではないか。顔が赤くなるか、青くなるか。明らかなケアレスミスで申し開きようのない誤訳だと赤くなって、根本的な解釈をまちがえるといった大きな誤訳だと青くなる。

誤訳の指摘というのは案外むずかしい。訳者の不明を揶揄するだけで、まるで鬼の首でも獲ったかのようなものもよく見かけるが、そういうのはおおむね読んでいてつまらない。そういう指摘は――私が翻訳業であるせいもあるだろうが――読んでむしろ不快に思うことが多い。作家の後藤明生は「批判することは批判されること」という名言を遺しているが、この手の指摘者はたぶん批判＝表現ということばのありようがよくわかっていないのだろう。

小鷹さんの誤訳指摘はそれとはまったく無縁のものだった。言うまでもない。大先輩の指摘を受け、青くなったり赤くなったりはしたが、不快にはまったく思わなかった。むしろただひたすらありがたかった。誤訳は三川もよく見つけてくれた。頼みもしないのに。三川に言われるとまずまちがいなく腹が立った。これは私自身、先輩意識が勝ってしまい、三川の英語力を素直に認められなかったせいだろう。小鷹さんの指摘は文字どおり大先輩からの指摘である。私が翻訳教の信徒なら、ありがたい教祖のおことばを聞くようなものだ。実際、すぐにお礼の電話をかけ、ひとしきりやりとりをしたあと、最後に小鷹さんに言われて、今でも忘れられないことばがある――第十回でも書いたが――「たまにはここまで真面目に仕事をするのもいいでしょう?」

忙しさにかまけていい加減な仕事をしないようにという戒めのことばである。当時、私は多忙をきわめ、初めからフェロー・アカデミーの生徒の下訳をあてにして引き受ける仕事が多くなっていた。仕事の依頼が来るのはありがたいことながら、忙しさにかまけて、仕事ひとつひとつに対する緊張感がどこかで薄れていたのだろう。公私ともに親交のある早川書房の山口晶さんからグレアム・グリーンの短篇二篇の翻訳依頼を引き受けながら、ころっと忘れてしまうという信じられないミスを犯したのもこの頃のことだ。締め切り日を過ぎて山口さんから催促の電話を受けて青くなった(こういうときは青くなる)。このピンチを救ってくれたのが三川だった。私のかわりにその二篇の翻訳を引き受けてくれたのだ。

小鷹さんのさきのことばはそんな私の仕事事情をまるで見透かしたようなことばだった。繰り返すが、叱責のことばである。それが私にはなぜか涙が出るほど嬉しかった。

私もその時点で翻訳稼業三十年、自分で言うのもなんだが、いわゆるヴェテランの域に達しており、まわりからあれこれ注意を受けることも少なくなっていた。そんなときの大先輩からの苦言だった。それが私にはなぜか小言ではなく、忙しいのはいいことだが、手を抜かず頑張るように、とでもいったエールに聞こえたのだ。繰り返すが、苦言なのに。受話器を置いたときにはなにやら心が浄化されたような気分にさえなっていた。あのときの自分の心理はわれながら今でも不思議だ。

前置きが長くなった。チャンドラー自身はこの「待っている」があまり気に入っていなかったらしいが、日本ではチャンドラーの短篇の中でおそらく一番人気があって、一番よく知られた作品だろう。どういう話かというと——実は、このときのことは『「待っている」新訳始末記』と題して「本の雑誌」（二〇〇七年六月号）にエッセイを書かせてもらっているのだが、そこに書いたあらすじを引かせてもらう。（結末まで明かしているので、注意してお読みください。）

主人公は中年のホテル探偵、トニー・リセック。五日も逗留しながらホテルを一歩も出ない女、イヴにちょっと心惹かれている。イヴはジョニーという恋人を待っている。そこへアルというやくざがトニーを訪ねてきて、イヴをホテルから出せという。アルはカジノの売り上げを横領して逃げたジョニーを追っているのだが、イヴを手元に置いておけば、それでジョニーをおびき寄せられるというわけだ。トニーはイヴをホテルから出すことに同意するものの、こっそりジョニーと会って密約を交わし、ホテルの車を貸し与え、ジョニーを逃がそうとする。が、それが裏目に出る。そうしたトニーの計略を見越していたアルがジョニーを追いかけ追いつめ、そこで撃ち合いとなり、ジョニーもアルもともに死ぬ。そのことを知らされたトニーは呆然となりながらも、イヴにその顛末を伝えにいく。イヴはホテルのラジオ室で眠っている。それを見て、トニーがじっと眼を閉じるところで物語は終わる。

このラストシーンが実にいい。非情の感傷ともいうべきものの余韻が胸に長く響く見事な短篇である。

ここで紙幅が尽きた。私の「大発見」については次回にて。次回は翻訳篇にして名誉挽回篇だ！

第一九回　レイモンド・チャンドラー「待っている」の巻

小鷹信光さんと三川基好の思い出（2）

早川書房／二〇〇七年

はてさて私の大発見。

誤訳というのは読者にとっても訳者にとっても悪夢である。そういうことを言えば、著者にとっても版元にとっても誰にとっても同じだろうが。中でもミステリー翻訳者にとって一番の悪夢は犯人をまちがえて訳してしまうことだろう。Aが犯人なのにBと訳しちまったりしちゃあ、そりゃやっぱりまずいよね。

厳密に言えばそれとはちょっとちがうが、ほんとうはAがBを殺したのに、BがAを殺した、なんて訳しちまっても、これはかなりひどい誤訳ということになるだろう。そんなヘマをやらかしてしまうのはよほどのヘボ訳者ということになる。ところが、なんとの「待っている」は私が訳した時点ですでに旧訳が四篇あった。その四篇の訳すべてがそろいもそろって、同じ個所でそういうヘマをやらかしていたのである。

いや、待て。

早くも鬼の首でも獲ったみたいな嫌味な自慢口調になってしまっている。あと出しじゃんけんで勝ってもそうイバることはないのに。ただ、ひとつ弁解しておきたい。旧訳四篇のうち一篇は雑誌「マンハント」に訳載されたもので、訳者不詳だが、残り三篇の訳者がみなすごいのだ。だって井上一夫に稲葉明雄に清水俊二なんですよ。みな翻訳史に燦然と名を残す名翻訳家で、私自身尊敬してやまない、これまで多くを学ばせてもらった大先輩たちだ。今年（二〇二〇年）になって本作の新訳を出された深町眞理子さんについても言うまでもない。だから、まあ、少しは浮かれたとしてもどうか大目に見ていただきたい。ただ、この発見をしたときにはかなり興奮したけれど、あれからだいぶ経って、今こうして冷静に振り返ってみると、それほどの大発見でもないね。曖昧だった点が少し明確にはなったと思うけれど。大発見というのは誇大広告でした。すみません。

いずれにしろ、問題となるのは、主人公のトニーがアルの伝言をアルの仲間から電話で聞かされる場面でのその仲間の台詞だ――The guy stopped the big one. Cold. Al--Al said

to tell you goodbye.（The guy とはトニーがホテルから逃がしてやったジョニーのこと。）
これを大先輩方はどう訳されたのか。

マンハント訳――「野郎、うちの親分をつめたくしちまいやがった。アルは――アルが、おまえさんに、さよならと伝えてくれとよ」（一九五九年）

井上一夫訳――「野郎は大きいほうを仕とめたってわけだ。冷たくしちまったよ。アルをな――アルは、おまえさんにあばよと伝えてくれといってた」（一九六一年）

稲葉明雄訳――「野郎、うちの大将をやっちまった。冷たくしちまったんだ。アル――アルはお前さんに、あばよと伝えてくれといってたぜ」（一九六八年）

清水俊二訳――「やつは大物を殺っちまった。アルが――アルがお前さんにさよならといってくれって」（一九七九年）

拙訳――「その野郎、どでかい一発を食らって冷たくなった。アルのほうは……あんたにさよならを言ってくれって言ってた」（二〇〇七年）

深町眞理子訳――「野郎、うちの親分を殺《や》っちまいやがった。大失態さ。アルは――アルはおまえさんに、あばよと伝えてくれ、そう言ってた」（二〇二〇年）

ちょい話がそれるが、拙訳以外の上記の訳は熱烈なチャンドラー・ファンで豊橋市在住の加藤篁（たかむら）さんにご教示いただいた。加藤さんとは、翻訳ミステリー大賞の第一回授賞式以来のつきあいなのだが、『50年目の解題「待っている」』というサイトを開設しておられ、本作に関するすぐれた考察をなさっている。また、『レイモンド・チャンドラーの世界』というハードボイルド全般に関するサイトもある。ご関心の向きは是非。

さて問題はこのstoppedをどう解するか。日本語にもなっている簡単な英語ながら、簡単なだけに意味はけっこういっぱいあって、大先輩方はみなさん、「殺す」という意に解しておられる。私自身はそうした用例を実際に見た覚えはないが、stopを調べると、いくつかの日本の辞書に、どれも稀な用法としながらも、確かに「殺す」という意味が載っている。ただ、同じそのいくつかの日本の辞書には、口語表現としてこういう意味にもなるとある。「(打撃・弾丸などを）食らう」だ。

英英辞典（ウェブスター）にも同じ定義が見られる——suffer the impact of（衝撃を受

ける）be wounded or killed by（負傷する、あるいは殺される）。ついでながら、ウェブスターには「殺す」の意は載っていない。いずれにしろ、stop の意味として、「受ける」「負傷する」「殺される」はちょっと意外な感じもしないではないが、「撃たれる」というのは「弾丸を受けて、弾丸の動きを止める」わけで、そう考えると、ごくごく一般的な stop の意にも合致する。「殺す」と「撃たれる」ではまさに真逆の意味になるが、私はこっちを取った。

その理由は、目的語の the big one がいかにも唐突に思えたのと、the big one を「アル」とするのも――つまり「大物」「親分」とするのも――無理がありそうに思えたからだ。それに「殺す」と解釈すると、物語の結末があいまいになってしまう。ジョニーはいったいそのあとどうなったのか。ただ「ジョニーは親分（アル）を殺した」だけでは、そのままジョニーは逃げてしまったように取れなくもない。そうではなく、ジョニーも死んで、アルも死んだのである。そうでなくては物語としていかにもしまりに欠ける。

この解釈には今でも自信があるが、正直に言おう。本作はほかにもむずかしい個所がいくつもあり、文庫化に際して、以前にも登場願ったイギリス在住のアメリカ人ミステリー作家マイクル・Z・リューインさんにいっぱい助言を仰いだのだが、リューインさんも私のこの解釈を推してくださった。自信はそのおかげだ。ただ、雑誌掲載から文庫化までには半年ほどあいだがあり、この拙訳に落ち着くにはちょっとした経緯があった。
本作の拙訳が「ミステリマガジン」に掲載され、小鷹さんが興味を持ってくださったのは前回書いたとおりだが、実のところ、このstopの私の訳について小鷹さんはいささか懐疑的だった。で、へっぽこ訳者としてはいっぺんに不安になって、リューインさんの教示を乞うたわけだが、メールでのやりとりの中、このstopに関してリューインさんから返ってきた最初の返事は、私の解釈に否定的なものだった。

やっちまった！　まずそう思いましたね。だって、人の誤訳をあげつらった本人が誤訳してたんだから。おまけに、あの小鷹さんのまえで得意満面で吹聴しちまったあとなんだから。かくなる上は、過ちを改むるに憚ることなかれってことで、リューインさんの返事を真っ先に小鷹さんに伝え、すみません、私の早とちりでした、と謝ろうと思ったのだが、そこでふと三川にさきに知らせておこうと思い直した。この件については当然彼も大いに関心を持っており、小鷹さんとのこともリューインさんとのやりとりも彼には逐一報告していた。三川は最初から私の解釈を推してくれていたのだが、伝えるとまったくもって思いがけない返事が返ってきた。いや、それでもここはおまえのほうが正しい。そう言ってきたのだ。

ハードボイルドの日本の父が懐疑的で、あちらのプロのミステリー作家が否定的な私の解釈のほうが正しいと言うのである。これって生半可にできることではない。このときの三川は実にカッコよかった。

いずれにしろ、私のほうはすっかり腰が引けてしまっていて、このまま引きさがろうと思っていた。それでもせっかく三川が言ってくれているのだからと思い直し、ダメもとでリューインさんに念押しのメールを出したところ、オーマイゴッド、ユー・アー・ライトという新たな返事が返ってきたのだった。

どこでどういうイきちがいがあったのか、今となっては詳しいことは思い出せないが、私とのメールのやりとりの中で、確かリューインさんが主語を取りちがえたのだ。それで話が食いちがってしまったのだが、その点についてはリューインさんから詫びのことばがあったので、彼の誤解だったことはまちがいない。ただ、それとは別に、the big one に関する講義もしてくれた。拙訳では「どでかい一発」になっているが、彼が言うには、この the big one とは具体的なもの（たとえば弾丸の大小）ではなく、概念として大きなもの、すなわちここでは「死」を暗示しているのだそうだ。要するに「死を受け止めた」＝「死んだ」となるわけだ。リューインさんのことばはもちろんご託宣でもなんでもないが、この教示には大いにうなずかされた。

三川の支援がなければ、私は私が悪うございましたとすぐに引きさがり、日和って先輩諸氏の旧訳と同じ訳にしていただろう。つまり翻訳ミステリー史上に燦然と輝くこの大発見、もとい、小発見は日の目を見ることがなかっただろう。そうならずにすんだのはひとえに三川のおかげである。私ひとりでは正せなかった。これについては今でも感謝している。ただ、彼のおかげで大（小？）改訳できた拙訳が収録された文庫『トラブル・イズ・マイ・ビジネス』が上梓されたのは二〇〇七年十二月で、そのときには三川はもうこの世にいなかった。同じ年の十月九日にすでに他界していた。たった二ヵ月、間に合わなかった。叶うことなら、本作を肴に感謝の酒の一杯ぐらい奢りたかった。

実はもう一点、本作には大きな（あ、もしかしたら小さいかも）問題点がある。主人公トニーとやくざのアルの関係である。それについても書いておきたいのだが、残念、紙幅が尽きた。長くなるが、すみません、もう一回だけおつきあいのほどを！

第二〇回　レイモンド・チャンドラー「待っている」の巻

小鷹信光さんと三川基好の思い出（3）

早川書房／二〇〇七年

はてさて私の小発見、その二。

主人公のトニー・リセック（ホテル探偵）とアル（やくざ）の関係である。

あらすじは前々回に書いたとおりだが、補足すると、ホテル探偵の主人公トニーはホテルのポーターに、アルという男が会いたがっていると告げられ、アルが待っているところまで（これが三ブロック先ではなくて、三分の一ブロック先だったわけです、はい）歩いていき、アルと会う。そこでふたりはちょっとしたやりとりを交わすのだが、ふたりの関係を推察できるシーンはここだけだ。

前回お世話になった加藤篁さんのサイトをまた参照させてもらうと――

《トニーとアルの間柄》
マンハント訳　古い知り合い（具体的な記述なし）
井上一夫訳　兄弟（トニーが兄、アルが弟）
稲葉明雄訳　古い知り合い（具体的な記述なし）
清水俊二訳　古い知り合い（具体的な記述なし）
田口俊樹訳　兄弟（トニーが弟、アルが兄）
（参考）Fallen Angels（TVドラマ脚本）兄弟（トニーが弟、アルが兄）
（深町眞理子訳は「古い知り合い」で「具体的な記述」はない——田口付記）

（参考）のFallen Angelsについては加藤さんが丁寧に説明しておられるので、そのまま引かせてもらう——〈『待っている』の検証を進めるにあたり、知っておきたいのが「この日本の名だたる翻訳者たちの解釈が別（ママ）れるストーリーを、英語ネイティブの読者はどう理解しているのか」です。それを知る一つの手掛りが1993年に制作されたテレビドラマ『待っている』。"Fallen Angels"というオムニバスドラマの中の一つとして制作された『待っている』は、トム・ハンクスが監督し、アルの相棒役で出演もしています。ほとんど原作に忠実に話は進み、唯一の大きな違いは最後の場面。ことの顛末を電話ではなく、直接ギャングが訪ねてきてトニーに伝えます。この場面では原作で曖昧になっていた様々な事実関係が補足として説明されています。〉

さきに書いたとおり、このふたりの関係を推察するには、ふたりの短いやりとりしかないのだが、その中に手がかりが三つある。どれもアルの台詞で、まずひとつは little fat brother というトニーへの呼びかけ、もうひとつは You're a good brother, Tony. とトニーを持ち上げているところ、最後のひとつが How's mom these days? と尋ねているくだりだ。

最初の brother という呼びかけは兄弟に対してだけでなく、仲間同士のあいだでも使われるというのはみなさんも先刻ご承知だろう。黒人だけでなく白人同士でも使われる。また、見知らぬ相手であっても。井上一夫さん以外の諸先輩はおそらく、ここでの brother もそういう使われ方だと解釈されたものと思われる。ただ、本作では brother に little fat という形容詞がついている。こういう使われ方は、呼びかけとしてただの brother より頻度は当然低くなる。また、fat という形容詞を除くと、little brother は通常「弟」だろう。さらにそのあとYou're a good brother, Tony. と言い、とどめがHow's mom these days? だ。ただのmomであって、your momでも、my momでもない。our momとは言っていない。だから必ずしもふたりの実母とはかぎらないが、ここも普通に解釈すれば「おふくろは最近どうしてる?」だろう。どう見ても三個所ともふたりの関係が兄弟であることを強く示していると思う。少なくともそう読むのが自然だろう。トム・ハンクスさんもそう思っているみたいだし。ついでに言うと、前回登場願ったマイクル・Z・リューインさんも、さらにイギリスの女流ミステリー作家のリザ・コディさんも。(兄弟かどうかという点については、どうしてもはっきりさせたかったので、リューインさんに念押ししたら、コディさんにも確認してくれたのだ。)これほどのお墨付き(虎の威とも言う)が得られている。兄弟と読むのがどう考えても自然である。

古くからの知り合いであろうと、血を分けた兄弟であろうと、大したちがいはないのではないか、と思われる向きもあるかもしれない。実際、兄弟といっても、弟はとりあえずまともな仕事に就いていて、兄のほうはやくざ者で、ふたりが疎遠であるのは明らかだ。しかし、だからこそだ。一目惚れした女のためによかれと思ってやったことが裏目に出て、トニーは自分の策略のせいで、実の兄を失うことになるのである。ことさら仲がよかった兄ではないかもしれない。だからその死の知らせを受けても号泣とはならないかもしれない。ただ、「口の中がからから」になるだけかもしれない。それでも、古くからの知り合いと実の兄では大きな隔たりがある。この作品においてこのふたりが兄弟であることは重要だ。

You take it slow, Tony. I'll take it fast. というアルの台詞をあえて「弟のおまえは慎重派で、兄のおれはせっかち派だ」と「弟」と「兄」を補って訳したのはそのためだ。補い訳はいかがなものかという意見もあろうが、伝える内容（原意）と見映え（日本語としての体裁）のどちらを採るか、というのはいつもながらの訳者のジレンマだ。両方採れればそれに越したことはないが、ここはどうしても原意を採りたかった。（トニーとアルの関係については、深町訳が収録されている『短編ミステリの二百年〈2〉』の編者、小森収氏がその解説の中で同性愛の可能性も示しておられる。ご関心の向きはご一読あれ。）

本作にはいまだに未解決の部分がいくつかある。その中からふたつばかり。

まずひとつは、“You could take a ride in a basket too,” Tony said. というくだり。トニーはイヴを迎えにホテルにやってきたジョニーに、ホテルから脱出する便宜を図ろうと申し出る。ジョニーは「彼女（イヴ）も連れていけるよな」と念を押す。上記の台詞はそれに対するトニーの返答だ。いったいbasketとはなんのことなのか。

直訳すれば、「籠に乗れる」だが、日本の時代劇じゃないもんね。このすぐあとに洗濯物入れの籠として、basketが出てきて、それもまた解釈をややこしくしているのだが、「ミステリマガジン」に載った最初の拙訳は「籠の中に隠れて逃げるのならな。赤ん坊のモーゼみたいに」だ。葦舟に乗せられ、難を逃れる『出エジプト記』のモーゼの故事にちなんでいると見たわけだ。なんかもっともらしいでしょ？　しかし、なんでそういう訳になったのか、今となっては皆目思い出せない。ただ、自信訳でなかったことだけは覚えている。で、苦しいときのリューインさん頼みで訊いたところ、コディさんとも相談してくれ、この表現からすぐに連想されるのが、go to hell in a handbasket（一気に破滅する）という慣用句だから、おそらくそういう意味でのチャンドラーの造語ではないかということだった。で、文庫化した際には「真っ逆さまに地獄に堕ちてもいいのなら」とした。

前述の加藤さんのサイトには、このくだりに関しても、深町訳を除くこれまでのすべての訳とトム・ハンクスのテレビ映画の該当場面を比較した表が載っている（http://park22.wakwak.com/~phil/waiting3.html）。それを見るかぎり、トニーのことばはジョニーの問いに対する許諾なのか拒否なのか、まったく正反対の訳があって興味深い。話の流れから考えると、拒否だろうとは思うが、この個所はリューインさんの解釈も「おそらく」ということで、私としても拙訳を百パーセント推すだけの自信はない。ひょっとしたらこのbasketは永遠の謎になってしまうかもしれない。

と書いて、今思い出した。小鷹さんから口頭で聞いたことながら、basketには「検死台」というスラングが昔あったそうだ。残念ながらもはや確認するすべがないが（辞書にも載っていない）「検死台に乗ることになる」ということなら、「地獄に真っ逆さま」と意味は変わらない。また思い出した。body bag（死体袋）をbasketと呼んでいるミステリーを訳したこともあったような……あ、ばれました？　露骨な我田引水です、はい。

もうひとつは――“I'm off Friday. How about lending me that phone number?”

最後のほうでフロント係がトニーに言う台詞で、直訳すれば「金曜日は休みなんで、あの電話番号を貸してもらえないかな？」だが、問題はthat phone number。（この個所についても加藤さんは検証しておられる。ご関心の向きはさきのサイトをぜひご覧じあれ。）ジョニーはトニーに逃がしてもらい、ホテルには実質一時間も滞在していない。それでも、ホテル側としては宿泊代を踏み倒されたことになる。これは明らかにトニーの落ち度で、おまけにトニーはジョニーを逃がす手助けまでしている。そのことに眼をつぶってもらおうと、このフロント係の台詞のまえに彼はフロント係に五ドル渡している。私はその五ドルを指しているのだろうと思った。つまり、さっきの五ドルは帳簿に載せず、自分がもらってもいいだろうか、ということを婉曲的に言ったのだろうと。で、拙訳は「今度の金曜は非番なんだよね。さっきの大金は私があんたから借りたってことでいいかな？」

「大金」としたのは、当時の電話番号が五桁だったことからphone numberが五桁の金、つまり大金を指す、とスラング辞典に載っていたからだ。五ドルは大金とは言えないが、ま、これは年季の入った安酒場のママが勘定を「百万円」とか言うようなものですね。

ところが、ところが、今、確かめたら、調べたはずのスラング辞典に載っていない！

どこにもない！　これはけっこう鮮明な記憶なのに！　どういうこと？　この私の解釈については、リューインさんは懐疑的だったが、三川は支持してくれたという記憶もはっきりあるのに！　この訳の自信度はそもそも六割程度のものだったが、今、さらに落ちた。いや、やはりこの意味なのではないかと今でも六割程度思ってはいるが。あれ、落ちてないか。

チャンドラーは悪文だよ。チャンドラーの短篇を何篇か訳したあと、三川はそう言った。英語に相当自信がないとなかなか言えることではない。が、三川のそのことばを思い起こして今改めて考えると、確かにチャンドラーの短篇には、同じことばが不必要に繰り返されていたり、描写が無駄に細かすぎたりといった点、ちゃんと推敲したんだろうか、と疑わざるをえないような個所がけっこうある。本作ももしかしたらそうした類いの〝書き飛ばした〟一作だったのかもしれない。腹立たしくも難解なのはそんな下世話な理由のせいかもしれない。

それでも、だ。私としては、小鷹さん、リューインさん、三川のこのお三方のおかげで、心底精一杯訳せたと思える一作になった。「たまにはここまで真面目に仕事をするのもいいでしょう？」という亡き小鷹さんの電話越しのひとことが今また耳に甦る。

感謝の酒の一杯もおごることができなかった三川からはこんな軽口も聞こえてきそうだ――「待っている」。いや、待たなくていいから。

あとがき——エンタメ翻訳この四十年

翻訳ミステリーのベストセラーを思い起こしながら、四十年余のわが翻訳人生をざっと振り返ってみる。

翻訳の専門学校の最大手〈バベル翻訳学院〉の創設が一九七四年で、私がこの三十年余講師を務めている〈フェロー・アカデミー〉の開校は翌七五年、さらに七六年には翻訳ミステリーが主軸のハヤカワ・ミステリ文庫の刊行が始まり、その同じ年に月刊誌『翻訳の世界』が創刊されている。翻訳本の出版点数が増え、戦後の翻訳ブームとまではいかなくとも、翻訳界そのものが上げ潮ムードにあり、その結果、より多くの翻訳者が求められるようになった。七八年の私のささやかなる翻訳者デビューはそんな時期にあたる。

その頃、私は純文学は高尚で娯楽小説は通俗と決めつけていた。だから翻訳ミステリーは中学高校の頃にクリスティとハードボイルド御三家をちょこっと、007シリーズ、八七分署シリーズをそこそこ読んだ程度で、それ以外は作家も作品もあまり知らなかった。で、これは一から勉強せねばと思い、ひととおり読んでおいたほうがいいと思われる翻訳ミステリーを推薦してくれるよう早川書房の編集者だった染田屋茂に頼んだ。すると段ボールに箱詰めしてどさっと送ってきてくれた。

読みはじめてすぐにそれまでの考えを改めた。エンタメもなかなかやるじゃん——いささか上から目線ながら、正直そう思った。これは染田屋のチョイスのおかげだろうが、読んだ本すべてが面白かった。それ以外に自分でも名前ぐらいは聞いたことのある作品やベストセラーを漁って読んだ。その頃の作品でいつでもすぐに思い出すのは、『ジャッカルの日』(フレデリック・フォーサイス著　篠原慎訳　角川文庫)と『百万ドルをとり返せ!』(ジェフリー・アーチャー著　永井淳訳　新潮文庫)だ。もっとも、覚えているのは本の中身ではなく、ただ面白かったということだけだが。あとはディック・フランシスの『興奮』(ハヤカワ・ミステリ文庫)。これは作品とは関係なく訳者の菊池光さんの訳文が強烈だった。

正直に言おう。どうにもなじめなかったのだ。だから作品も愉しめなかった。ところが、染田屋に問い質すと、菊池教信者と言われるほどの熱烈なファンがいる人気翻訳家なのだという。どうにもわからなかった。

ところが、ところが、今から七年まえ、ある読書会の課題図書がこの『興奮』で、それに出席するために読まざるをえなくなり、三十数年ぶりに読んだ。いやあ、面白かったのなんのって！　訳文にも少しも抵抗がなかった。いや、むしろ古さを感じさせない、スタイリッシュでカッコいい訳だと思った。熱烈なファンがいるのもむべなるかなとさえ。これは私が鈍くて、三十年以上経たないと菊池節のよさが理解できなかったということなのだろうか。菊池光は私にとって偉大にして不思議な翻訳家である。

最初の五年間、これも染田屋のおかげだが、「ミステリマガジン」の仕事をまわしてもらえて、それまで聞いたこともないような作家の短篇を次々と訳した。訳すテキストのコピーが毎月郵便で送られてくるのが嬉しくて、月初めのその頃になると、何度も郵便箱を開けて見たものだ。ただ、なにしろ英語に自信がなかったので、ちゃんと内容が理解できるだろうかと毎回どきどきして、細かい部分はともかく、とりあえず読んで、犯人がわかるとほっとしたのを今でも時々思い出す。その頃は、訳文とはいえ自分の書いた文章と自分の名前が商業誌に載るだけでただただ嬉しかった。いずれにしろ、何人もの作家の短篇を五年で都合六十作。私はきちんと翻訳を習ってこなかった翻訳者だが、この五年は得がたい翻訳修行になったはずだ。

長篇の拙訳が本になって出るようになってからは、刊行後ひと月かふた月は何度も本屋にかよった。書評や広告が出ていないか週刊誌や月刊誌を見るためだ。当時はまだコンビニがどこにでもあるわけではなかった。新聞の読書欄は勤めていた高校の職員室で朝日も読売も毎日も読めた。もちろん書評に必ず載るわけではない。載らないほうが普通だが、紙面あるいは誌面上にたまに拙訳の書名と自分の名前を見つけたときには小躍りするほど嬉しかった。と同時に、そういう機会があるたび、教師というのは世を忍ぶ仮の姿で、紙面あるいは誌面にこそほんとうの自分がいるような気がして、翻訳一本で食っていけたらなあ、と思ったものだ。もちろんただ思うだけで、実現可能なこととはまったく考えていなかった。すでに結婚しており、ふたりの子供はまだ小さく、翻訳で満足に子供を養えるとはとても思えなかった。

それが翻訳を始めて十年が経ち、思いがけず転機が訪れる。人生の大きな決断をすることになる。私は生来優柔不断で、大胆なことができない小心者である。酒呑みになったのも、目移りして馬券をぱらぱらちまちま買って、当たっても損をすることがよくあるのも、きっとそのせいだと思うが、ま、それはともかく、身分の安定した公務員から不安定きわまりない自由業への転身というのは、そんな私にとって大勇断だったはずだ。が、当時、思いきった決断という自覚はなかった。むしろなんとなく、あるいは自然のなりゆきでそうなったようなところがあった。

これは時代のせいもあるだろう。まずバブルだった。翻訳界もなんとなくそんなムードの中にあった。二見ザ・ミステリ・コレクションや扶桑社ミステリーといった新たな翻訳文庫レーベルが創設されたのがこの頃だ。また、染田屋が早川書房を辞め、翻訳者として自立したのに引っぱられたところもある。教職を辞すちょうど一年まえに、〈フエロー・アカデミー〉から講師をやらないかという、まさに渡りに船みたいな誘いにもあと押しされた。そういう要因が重なったのだ。

ただ、そうは言っても当時、息子は小学校に上がったばかりで、娘はまだ保育園。それでもすんなり転身できたのは、やはり大前提として妻も教員で、共稼ぎだったことが大きい。翻訳で食えなくても妻の稼ぎでなんとかなるだろう。家計は妻に丸投げしよう。

勝手にそう決めたわけだ。人間、無責任になればなんでもできる。妻は私の転職を勧めもしなければ反対もしなかった。

その後のほぼ十年は翻訳隆盛時代と言える。これは翻訳界だけでなく、出版業界全体がそういう時代で、一九九六年には出版市場のピークが訪れる。この頃の短いあいだだけだったが、文庫の初刷りはだいたい三万部、新潮社と文藝春秋などはどんな本でも五万部も刷ってくれた。今から思うと夢のような数字である。ベストセラー作家でもないのに翻訳者にも——われわれは自分の名前で本が売れるわけでもないのに——版元から盆暮れの心づけがあった。いい時代でしたねえ。

ベストセラーも翻訳書からよく出た。ミステリーですぐに思い出すのは九〇年から始まる『検屍官シリーズ』(パトリシア・コーンウェル著　相原真理子・池田真紀子訳　講談社)。これは今も続いており、なんと累計千三百万部。あとはミステリーではないが、なんと言っても九三年の『マディソン郡の橋』(ロバート・ジェームズ・ウォラー著　村松潔訳　文藝春秋)だ。これは又吉直樹氏の『火花』が出るまで文藝春秋の最高売上げ本だったそうだ。そのあと少しあいだが開いて、九九年からはあの『ハリー・ポッター・

シリーズ』（J・K・ローリング著　松岡佑子訳　静山社）が始まる。このシリーズは累計二千三百六十万部。以上すべてネット情報ながら、こういう景気のいい話は外野もなんだか愉しい。

ひとつ忘れていた。隆盛時代の当初にさかのぼるが、八八年には『ゲームの達人』（シドニィ・シェルダン著　天馬龍行・中山和郎訳　アカデミー出版）があった。これは英語の通信教育との抱き合わせで、当時日本記録となるほどの大ベストセラーとなった。が、同時に宣伝文句の「超訳」が一時物議をかもした。

「超訳」と銘打たれた翻訳には、原著にない部分を書き加えたり、ある部分を逆に省略したりすることも含まれ、そんなものは翻訳とは言えない、と多くの翻訳者が憤慨したのである。かく言う私も当時はそのひとりだった。が、大ベストセラーになったということはそれだけ需要があったということで、翻訳にはサーヴィス業という大切な一面もあるのだから、何も目くじらを立てるほどのことではなかったのではないか、と今は思う。世界の古典の名作を子供向けにやさしいことばで抄訳するのと基本的には同じことだろう。さらにめちゃくちゃ上から目線で言えば、もっともらしい「超訳」批判は幼稚園児を観察して、彼らは幼稚だと批評するのと変わらない。

そう言えば、この「超訳」問題は翻訳界だけにとどまらず拡散し、「週刊文春」がわざわざ渡米して著者に取材するという一幕もあった。原著者としてこういう翻訳でいいのかどうか。著者本人に直接そう質したのだ。答は確か、一向に差しつかえない、だった。日本での売り上げは当然著者印税に跳ね返るわけで、この質問は訊くだけ野暮だったというべきか。

この時期、翻訳者養成学校もにぎわった。さきに書いたが、そもそも〈フェロー・アカデミー〉から講師のオファーが私にあったのもそういう時代背景があればこそのことだったにちがいない。〈フェロー〉の学校沿革史を見ると、八六年に全日制「総合翻訳科」なる講座が開講されている。〈バベル翻訳学院〉がよく無料翻訳診断のテスト問題を添えて新聞広告をでかでかと打ち、在宅でできる知的で上品なアルバイトとして、女性をターゲットに、翻訳という仕事を勧めていたのもこの頃だ。学院を卒業し、あるいは学院主催の翻訳コンテストで受賞し、その後翻訳界で活躍している代表として、当時はフォトジェニックだった（あ、今も）山本やよいさんや羽田詩津子さんや河野万里子さんたちの初々しいご尊顔が広告に大きく載っていたのを思い出す。つくづくしみじみ懐かしく……あ、他意はありません。

私の専門外の分野のことなので、詳しくはわからないが、自己啓発本を中心に実用書がよく売れだしたのも九〇年代だと思う。『7つの習慣』（スティーブン・R・コヴィー著　川西茂訳　キングベアー出版）や『人を動かす』（デール・カーネギー著　山口博訳　創元社）など今でもよく売れているようだ。二〇〇〇年には『チーズはどこへ消えた？』（スペンサー・ジョンソン著　門田美鈴訳　扶桑社）というメガヒットもあった。

専門外と今書いたが、実は私にも自己啓発本の訳書がある。『さあ、才能に目覚めよう』（マーカス・バッキンガム　ドナルド・O・クリフトン著）という本で、二〇〇一年に日本経済新聞社から出た。わけあって今はもう絶版ながら、実のところ、拙訳の中で一番よく売れた。今のスタンダードだと、ちょっと盛って言えば、文庫の初刷り百冊分ぐらい売れた。

専門外も顧みず、この本の翻訳を引き受けたのは、ぶっちゃけ生活のためだった。何を血迷ったか、私は『カール・マルクスの生涯』（フランシス・ウィーン著　朝日新聞社）という専門外中の専門外本も訳しているのだが、これがすこぶるつきの難物で、訳出に一年かかった。翻訳で飯を食っている身には、初版部数も売れることもまず期待できそうにない本に一年は痛い。そんなときに日経からこの『さあ、才能――』を訳さないかと声がかかったのである。ふたつ返事で引き受けた。今にして思うと、そういう状況でなければどう答えていたか。もしかしたら専門外ということで丁重に断わっていたかもしれない。もしそうしていたら、文庫百冊分はなかった。マルクスの伝記は、一度は翻訳者になりながらまた編集者に戻って、当時朝日新聞社にいた染田屋からの仕事だったのだが、翻訳中は、こんな面倒な仕事をさせやがって、と彼を逆恨みしていた。しかし、よくよく考えると、この難行苦行がなかったら文庫百冊分もなかった？　もう金輪際染田屋さんには足を向けては寝られません！

今世紀にはいってからの翻訳ミステリー界一番の事件と言えば、これはもう断然二〇〇四年の『ダ・ヴィンチ・コード』（ダン・ブラウン著　越前敏弥訳　角川書店）だろう。このシリーズは世界で二億部、日本だけでも千七百二十万部も売れているという。これって文庫何冊分？　百冊自慢がちとハズい。しかも盛ってるし。

その後、翻訳界では、『金持ち父さん　貧乏父さん』（ロバート・キヨサキ著　白根美保子訳　筑摩書房）のような実用書のベストセラーはあったものの、しばらくミステリーは鳴りをひそめていた。そこへ二〇一四年に『その女アレックス』（ピエール・ルメートル著　橘明美訳　文藝春秋）、二〇一八年には『カササギ殺人事件』（アンソニー・ホ

ロヴィッツ著　山田蘭訳　東京創元社）というビッグヒットが出た。二作とも作品自体面白かったが、それだけでなく訳者がおふたりとも私の好きな訳文を書く人だったので、そのぶんよけいに嬉しかった。

二〇〇九年から私はスティーヴン・キング訳者の白石朗さん、『ダ・ヴィンチ・コード』の訳者越前敏弥さん、お名前を借りる形で大先輩の故小鷹信光さん、深町眞理子さんの五人で発起人となり、ほかに親しい翻訳者、書評家、編集者の力を借りて「翻訳ミステリー大賞」を創設し、年間翻訳ベスト・ミステリーを毎年選出している。同時に「翻訳ミステリー大賞シンジケート」というサイトを運営して、ほぼ毎日更新している。もっとも、ＩＴ音痴の私はサイトのほうの役にはからっきし立っていないが。とまれ、執筆者はみな翻訳ミステリーをこよなく愛する人たちで、全員ノーギャラのヴォランティア参加で、翻訳ミステリー批評、情報紹介をしてくれている。ご関心の向きは是非立ち寄ってほしい。翻訳ミステリーの現在がよくわかるはずである。（http://honyakumystery.jp/）

最後になったが、本書は〈フェロー・アカデミー〉が運営する会員ウェブサイト『アメリア』に二〇一七年七月から二〇二〇年九月まで、「拙訳再訪」のタイトルで三年にわたって連載したコラムに加筆し、新たにあとがきを加えたものである。執筆の場を与えてくれた〈フェロー・アカデミー〉の室田陽子理事長、本書の出版を決めてくださり、編集にもあたってくださった〈本の雑誌社〉の浜本茂社長、浜本さんに拙稿を売り込んでくれた目黒考二（北上次郎）さん。お三方に心よりお礼申し上げる。

本書を今は亡き父と母に捧げる。あとまだ幼い孫たちに。（いつか誰かひとりぐらい読んでくれないともかぎらないではないか。）

田口俊樹

二〇二〇年十月

初出　翻訳者ネットワーク『アメリア』二〇一七年七月〜二〇二〇年九月

田口俊樹（たぐち としき）

翻訳家。1950年、奈良市生れ。早稲田大学卒業。“マット・スカダー・シリーズ”をはじめ、『チャイルド44』『パナマの仕立屋』『神は銃弾』『卵をめぐる祖父の戦争』『ABC殺人事件』『壊れた世界の者たちよ』『ランナウェイ』など訳書多数。著書に『おやじの細腕まくり』『ミステリ翻訳入門』がある。「翻訳ミステリー大賞」発起人。フェロー・アカデミー講師として後進の育成にあたっている。

日々翻訳ざんげ エンタメ翻訳この四十年

二〇二一年二月二十日 初版第一刷発行

著　者　田口俊樹
発行人　浜本 茂
印　刷　株式会社シナノパブリッシングプレス
発行所　株式会社 本の雑誌社
〒101-0051
東京都千代田区神田神保町1-37 友田三和ビル
電　話　〇三（三二九五）一〇七一
振　替　〇〇一五〇-三-五〇三七八

定価はカバーに表示してあります
ISBN978-4-86011-455-8 C0095